JN096033

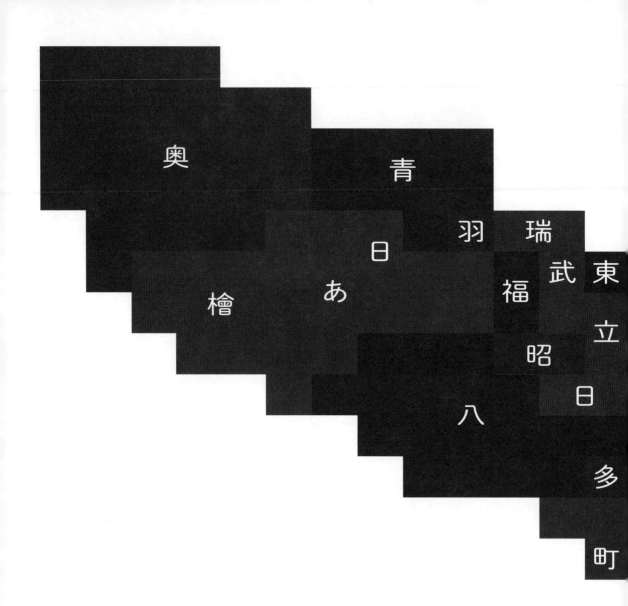

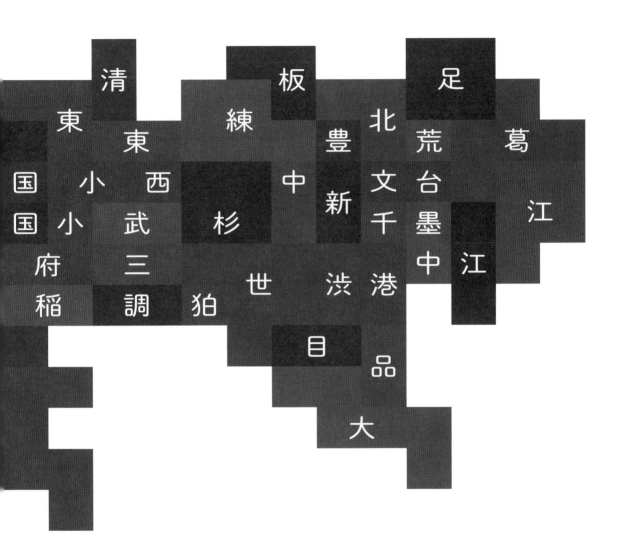

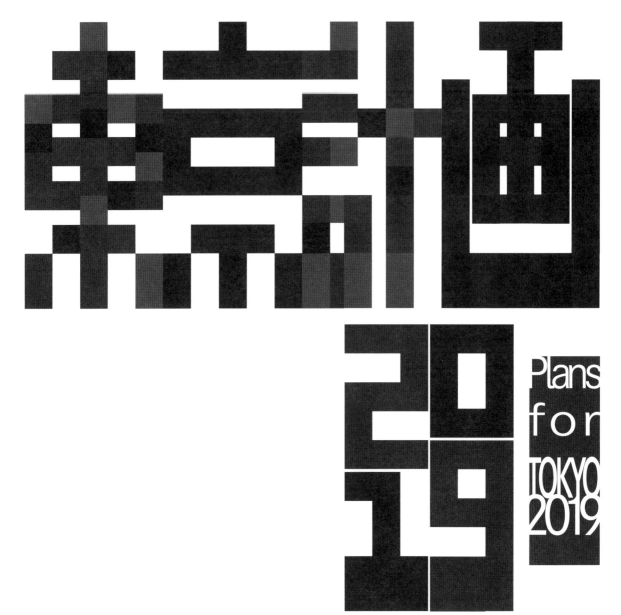

東京計画 2019

2019

Plans for TOKYO 2019

M

　1988年の開設以来、武蔵野美術大学が企画運営してきた「ギャラリーαM」は、現代美術に主眼を置き、新人発掘とその発表の場として企画展を展開してきましたが、2002年3月に閉廊しました。同年5月、その方針を変えずに、学生が主体となって運営する「αMプロジェクト」を、特定の場所を持たない企画ベースの展覧会として展開しました。武蔵野美術大学創立80周年にあたる2009年、かねてより待望されていた恒常的なギャラリースペースが、千代田区東神田に「gallery αM」として新たにオープン。2019年度には、藪前知子氏をゲストキュレーターに迎え、連続展覧会「東京計画2019」を開催いたしました。本カタログにはそれぞれの論考と作家趣旨文、会場風景の写真とアーティストトークの記録がまとめられております。

　本展の開催にあたり、力をふるって下さった各作家の皆様、ゲストキュレーターをつとめて下さった藪前様、多くの関係諸機関及びご協力頂いた関係者各位に深く感謝の意を表し、心より御礼申し上げます。

2020年9月

武蔵野美術大学　αMプロジェクト運営委員会

Foreword

"gallery αM," which has been planned and operated by Musashino Art University since its establishment in 1988, placed focus on contemporary art and presented various exhibitions as a place for discovering and introducing new talent, yet eventually closed its doors in March 2002. In May of the same year, the student-run "αM Project" was developed as a project-based exhibition that inherited the philosophies of its predecessor while not being designated to a specific space or location. Later in 2009, in correspondence to the 80th anniversary of Musashino Art University, a long-awaited permanent gallery space was newly opened as "gallery αM" in Higashi-kanda in Tokyo's Chiyoda ward. For the year of 2019, the gallery welcomed Tomoko Yabumae as guest curator and held a series of exhibitions titled, *Plans for TOKYO 2019*.

　This catalog features essays, artist statements, installation images, and documentation of the artist talks of each exhibition.

　We would like to express our sincere gratitude to all the artists for their time and effort in realizing this exhibition series, Tomoko Yabumae who served as guest curator, and to all individuals and organizations involved for their generous cooperation and support.

September 2020

Musashino Art University Steering Committee for αM Project

展覧会データ

αMプロジェクト2019
「東京計画2019」

会期｜2019年4月6日（土）～2020年1月18日（土）
会場｜gallery αM
主催｜武蔵野美術大学
運営｜武蔵野美術大学αMプロジェクト運営委員会

ゲストキュレーター｜藪前知子（東京都現代美術館学芸員）

vol. 1
毒山凡太朗　RENT TOKYO
2019年4月6日（土）～5月18日（土）
　［特別休廊 4/28～5/6］
アーティストトーク　4月6日（土）18時～

vol. 2
風間サチコ　バベル
2019年6月1日（土）～7月13日（土）
アーティストトーク　6月1日（土）18時～

vol. 3
Urban Research Group　NEW ADDRESS
2019年7月27日（土）～9月14日（土）
　［夏季休廊 8/11～8/19］
アーティストトーク　7月27日（土）18時～

vol. 4
ミルク倉庫＋ココナッツ　scratch tonguetable
2019年9月28日（土）～11月9日（土）
アーティストトーク　9月28日（土）19時～

vol. 5
中島晴矢　東京を鼻から吸って踊れ
2019年11月30日（土）～2020年1月18日（土）
　［冬季休廊 12/26～1/6］
アーティストトーク　11月30日（土）19時～

αMプロジェクト運営委員会｜
袴田京太朗（ディレクター）
尾長良範　丸山直文　冨井大裕　是枝開　赤塚祐二
伊藤貴史　澤野誠人

gallery αM運営スタッフ｜
神祥子　黒野颯　園部恵永子

Exhibition Data

αM Project 2019
Plans for TOKYO 2019

April 6, 2019–January 18, 2020
Venue: gallery αM
Organizer: Musashino Art University
Direction: Musashino Art University Steering
Committee for αM Project
Guest Curator: Tomoko Yabumae
[Curator, Museum of Contemporary Art Tokyo]

vol. 1
Bontaro Dokuyama: RENT TOKYO
April 6–May 18, 2019
[Special Holidays: Apr. 28–May 6]
Artist's Talk: April 6, 18:00–

vol. 2
Sachiko Kazama: BABEL
June 1–July 13, 2019
Artist's Talk: July 1, 18:00–

vol. 3
Urban Research Group: NEW ADDRESS
July 27–September 14, 2019
[Summer Holidays: Aug. 11–19]
Artist's Talk: July 27, 18:00–

vol. 4
mirukusouko + The Coconuts: scratch tonguetable
September 28–November 9, 2019
Artist's Talk: September 28, 19:00–

vol. 5
Haruya Nakajima: Sniff Tokyo, and Dance
November 30, 2019–January 18, 2020
[Winter Holidays: Dec. 26–Jan. 6]
Artist's Talk: November 30, 19:00–

Musashino Art University Steering Committee for αM Project:
Kyotaro Hakamata [Project Director]
Yoshinori Onaga, Naofumi Maruyama, Motohiro
Tomii, Hiraku Kore-eda, Yuji Akatsuka, Takashi Ito,
Makoto Sawano

gallery αM Staff:
Sachiko Jin, Hayate Kurono, Eeko Sonobe

目次

Contents

αM プロジェクト2019
東京計画2019
Plans for TOKYO 2019
ゲストキュレーター：
藪前知子

　二度目のオリンピックのカウントダウンを控え、大きな力によって変動し続ける東京。再開発が進み清潔に整えられていく一方で、複数のキャラクターを持った街の集合体という特徴は薄れ、画一化と均質化が進み、人々の行動様式にも影響を与えています。今年度のαMプロジェクトでは、5組のアーティストたちの実践により、その諸相をギャラリーに転送し、そこに潜む問題に言及しつつ、単一の経験やシステム、アイデンティティからの脱却と、別の可能性を提示したいと思います。

　シリーズタイトルは、戦後の混乱から高度経済成長に突入し、東京オリンピックへと向かって行く時代の流れの中で、丹下健三研究室が策定した「東京計画1960」を下敷きにしています。湾岸地域と超高層ビルなど海と空への開かれた展開を提案し、開発や成長というヴィジョンに美しい形を与えた幻の都市計画です。東京の爆発的な発展が予言される一方で、すでに都市化が行き詰まりを見せはじめていたアメリカでは、その翌年に、ジェイン・ジェイコブズという一人の女性が、大規模で単一的な開発を批判し、生活者の視点から、異なる要素のパッチワークとしての都市像を提起しています。しかし、それから半世紀以上が経った現在も、東京は大都市という夢を捨てることなく、スクラップ＆ビルドの舞台であり続けています。都市は今なお、人々の幸福な生を保証するシステムとして有効なのでしょうか。この連続展覧会をプラットフォームに、「祭りのあと」をサバイブするための指針が生み出されることを期待したいと思います。

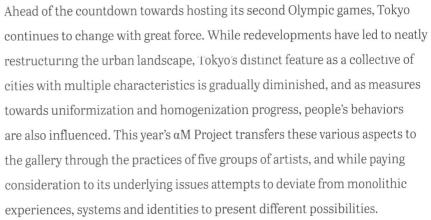

αM Project 2019
Plans for TOKYO 2019
Guest Curator:
Tomoko Yabumae

Ahead of the countdown towards hosting its second Olympic games, Tokyo continues to change with great force. While redevelopments have led to neatly restructuring the urban landscape, Tokyo's distinct feature as a collective of cities with multiple characteristics is gradually diminished, and as measures towards uniformization and homogenization progress, people's behaviors are also influenced. This year's αM Project transfers these various aspects to the gallery through the practices of five groups of artists, and while paying consideration to its underlying issues attempts to deviate from monolithic experiences, systems and identities to present different possibilities.

The title of this exhibition series is based on "A Plan for Tokyo 1960" proposed by architect Kenzo Tange Laboratory, at a time of high economic and industrial growth in the wake of postwar turmoil as Japan progressed towards the 1964 Tokyo Olympic games. With plans that took into account the bay area and the construction of mammoth high-rise buildings, Tange's unrealized urban scheme had proposed expanding the Tokyo metropolis both out towards the sea and to its skyline, thus beautifully shaping his vision of development and growth. While Tokyo's explosive development was predicted, in the United States where urbanization had already started to come to a standstill, a woman named Jane Jacobs had in the following year criticized large-scale and monolithic development policies to instead present an urban image from the perspective of its dwellers that existed as a diverse patchwork of different elements. More than half a century since such times however, Tokyo still holds on to its dream of a being a vast metropolis and continues to be a setting for an endless cycle of scrap & build. Does the city still function as an effective system in guaranteeing happiness for the lives of the people who live within it? I hope that this series of exhibitions could serve as a platform in providing clues and guidelines for surviving the days that follow the storm of festivities.

1

毒山凡太朗

Bontaro DokuYama

ステートメント

初めて住んだ東京の街は、家族連れで賑わう路面店や、夕飯の支度を急ぐ主婦で混み合う商店街、近くには大学付属の幼稚園・中学・高校があり、毎朝、通学する学生達の黄色い声と、ママチャリに乗る母親達の和やかな井戸端会議、子育てのしやすい街として定評があった。

しかし、住み慣れた僕のよく知るこの街に、ある日突然騒々しい出来事が起きた。

保育園を作るという区の政策に対して、近隣住民から猛烈な反発が起き、対立しているという報道を見た。不動産屋から「治安も良くて住みやすい」と勧められたこの街は、今いる以上の子ども（未来）に対してはとても厳しく、保育園などの新しい施設を作ることを受け入れられないのか……、と虚しく感じたことを覚えている。

当時「保育園落ちた日本死ね」というブログが炎上したことも記憶に新しく、象徴的な出来事の一つとなった。また、昨年の12月には、港区が保有する青山の一等地に、児童相談所を建設する事への異議が沸き上がった。「青山ブランド」を守るといった理由で、住民による建設反対運動が起きたのだ。

オリンピックを目前に、急速に変化する東京に対して、ネガティブな感情は持ち合わせていない。しかし、折角こんなにもせわしなくビルを建てたり道を拡張するならば、僕らや海外からの観光客の為だけではなく、もう少し先の未来（子ども達）に対しても、投資して良いのではないだろうか。

そこで今回、目の前の生活の安定や地価、オリンピックの成功以外に見向きもしない今の東京・日本に対して、ひとつ儲け話をもちかけようと思う。

毒山凡太朗

Artist Statement

The town that I lived in when I first moved to Tokyo had a reputation as an optimal place for raising children, with stores busting with family visitors lining its streets, a vibrant shopping district where housewives could be seen going to and fro busy with dinner preparations, and a university affiliated kindergarten, junior high school, and high school located close by. Every morning, the voices of students could be heard as they commuted to school, as well as the peaceful chit-chatter amongst mothers as they pushed their bikes with their respective baby seats attached.

One day however, an alarming incident had occurred in this familiar town that I called home.

I came across news reports that there had been a fierce backlash from local residents against the ward's policy to build a new nursery, causing significant conflict between the two parties. I remember feeling empty-hearted at the fact that this town, which the real estate agent had recommended to me as a "safe and pleasant place to live," was very severe towards there being anymore children than there are now (prospects for the future), and was thus unable to accept the construction of new facilities like nursery and childcare centers.

A blog that was a subject of much debate at the time in which a certain mother wrote "Didn't get a slot in daycare. Drop dead, Japan" is still fresh in one's memory, and in itself became noted a symbolic incident. Also in December last year, objections were made against building a children's welfare center in a prime location in Tokyo's Aoyama district that was owned by the Minato ward. That is to say, residents raised movements against its construction for the sole purpose of protecting the status and "brand image" associated with Aoyama.

I have no negative feelings towards Tokyo that is currently undergoing drastic changes in light of the approaching Olympics. Nevertheless, if the city is busily developing various buildings and expanding its roads, then perhaps there is no harm in channeling investments not only to benefit those currently living in the city as well as tourists visiting from abroad, but also in the near future that lies ahead (the next generation of children that are to be born).

To this effect, what I hope to do on this occasion is to propose an opportunity that could work positively for Tokyo and for Japan, which at the moment appears to pay no attention to anything other than ensuring the stability of living issues that are close at hand, land prices, the success of the Olympics.

Bontaro Dokuyama

《RENT TOKYO》 2019
「RENT TOKYO」 2019

《 R E N T　T O K Y O 》 ［部分］

“RENT TOKYO” [detail]

19

《千年 たっても》2015

《 あ ど け な い 空 の 話 》 2019

‘Innocent Tale of the Sky’ 2019

23

《Tokyo Drawing 2019》2019

《Ｔｏｋｙｏ　Ｄｒａｗｉｎｇ　２０１９》［部分］

KASUMI
GAOKA

《Tokyo Drawing 2019》［部分］

28

《経済産業省第四分館》2016

'The 4th Branch, Ministry of Economy, Trade and Industry' 2016

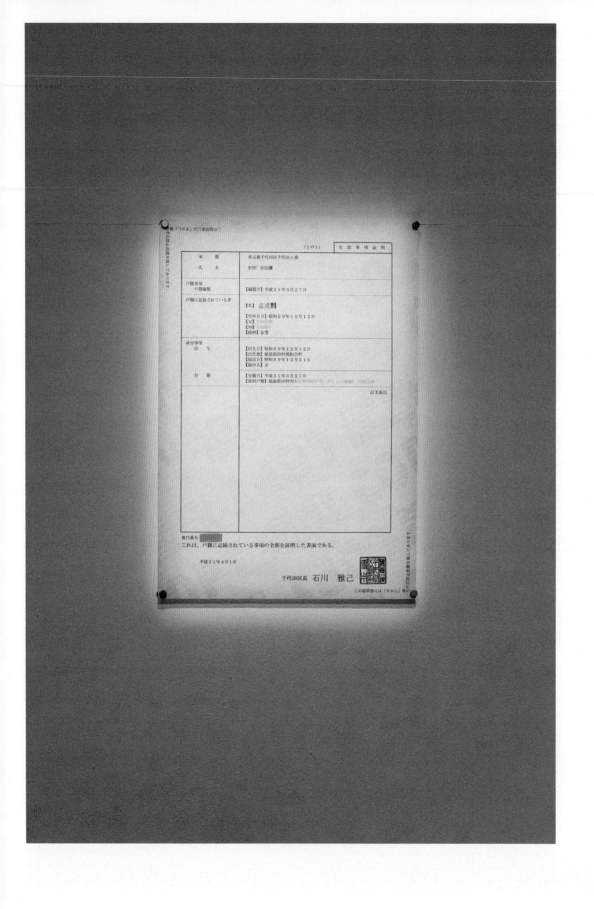

《 皇 居 ＝ 公 居 》 2019
「Imperial Palace = Public Palace」 2019

32

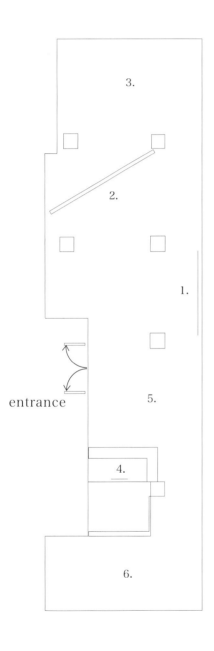

entrance

1. 《千年 たっても》
2015 ｜ 映像 2 分 32 秒

2. 《あどけない空の話》
2019 ｜ 映像 3 分 3 秒

3. 《TOKYO Drawing 2019》
2019 ｜ 雨、顔料、キャンバス、キャンバスボード、写真
31.8 × 41cm、45.5 × 53cm、50 × 60.6cm

4. 《皇居＝公居》
2019 ｜ 紙 (戸籍謄本) ｜ 29.7 × 21cm

5. 《RENT TOKYO》
2019 ｜ 映像インスタレーション｜サイズ可変

6. 《経済産業省第四分館》
2016 ｜ 映像インスタレーション 18 分 37 秒

1. *Even After 1,000 Years*
2015 video 2min. 32sec.

2. *Innocent Tale of the Sky*
2019 video 3min. 3sec.

3. *Tokyo Drawing 2019*
2019 rain, pigment, canvas, canvas board, photograph
31.8×41cm, 45.5×53cm, 50×60.6cm

4. *Imperial Palace = Public Palace*
2019 paper(Japanese family register) 29.7×21cm

5. *RENT TOKYO*
2019 video installation dimensions variable

6. *The 4th Branch, Ministry of Economy, Trade and Industry*
2016 video installation 18min. 37sec.

東京の「空」は誰のものか ―
毒山凡太朗論
藪前知子

　毒山凡太朗は、福島第一原発の事故によって生まれ故郷が汚染されてしまったことをきっかけに、仕事を辞め、新たな名前とともに現代美術の発表を始めた作家である。先日彼は、「作品になるのかわからないけれど」と笑いながら一枚の戸籍謄本のコピーを私に見せた。「本籍」の欄に書かれた「千代田区千代田一丁目一番地」の文字――。彼は現在の「東京」の諸相を映し出すこの展覧会に際して、自分の戸籍を皇居に移したのだった。未曾有の事故によって変貌させられてしまった故郷の風景に、自らの存在を媒体として、東京の中心にある「変わらない風景」を、やすやすと接続させてしまったのである。福島の事故は彼に、これまでの知識や価値観の全てを疑い、キャリアや名も刷新するほどの衝撃を与えたはずだが、そこで彼が、脱原発運動などの直接的な行動ではなく、アーティストになることを選んだのは、一つの示唆を私たちに与えてくれるだろう。その後の毒山は、韓国の元慰安婦や、日本統治下で教育を受けた台湾の人々など、日本の負の歴史に関わる人々に会いに行き、インタビューに基づいた作品を制作するが、カメラのこちら側に立つ毒山の視線は常に中立で、個人の記憶に基づく証言者たちの言葉は、時に私たちの認識に揺さぶりをかける。彼は摩擦の歴史を、現場の声から学び直しているのだ。軽々と人生を変え、戸籍を変える足取りが示すように、毒山は変容し続ける透明な存在として、複数の歴史や社会の構造を可視化する媒体となる。思考の枠組みは規定のイデオロギーに導かれるのではなく、その作品の鑑賞者一人一人の経験の中で事後的に立ち上がる。「東京計画2019」と銘打った本展覧会シリーズは、「東京」を舞台に、計画や管理、目標といった概念に代表される、人の行動や経験を先立って支配する原則に対抗するアートの可能性を示す試みでもある。声高な主張はいずれ同じ隘路に陥ることを見抜きつつ、彼は、人々に不断の変容をもたらす一滴の「毒」＝アーティストとなることを選んだのではないだろうか。

　ここで注目したいのは、毒山の作品に頻繁に現れる、歌ったり、指差したり、叫んだりする人々の主張や発信が、虚空に消えていくようなあてどなさを持つことである。例えば本展では、旧作である『智恵子抄』をモチーフにした映像作品《千年 たっても》（2015）と、対となる新作《あどけない空の話》（2019）がそれである。前者は、「智恵子は東京に空が無いという」という高村光太郎の『智恵子抄』の誰もが知る一節にちなんで、毒山本人が、雨が降り注ぐ安達太良山上空の「ほんとの空」を指差し、智恵子に呼びかける作品である。後者では、オリンピック直前の開発が続く東京の工事現場で、一人の男性が、空を埋めつくすことを煽情的に呼びかける。ここで強調されるのは、主張の内容というよりは、主張するという振る舞いや、その身体の現れ方である。「空」というモチーフは、展示室奥の空間にも続く。東京の各所で、無くなりつつある空から降ってきた雨によって生み出された「絵画作品」である。東京と福島の不均衡な因縁は毒山作品の重要なモチーフだが、これらの一連の作品が持つ抽象性は、その直接的な糾弾ではなく、主張や所有といった力の行使そのものに対する批評的な眼差しへと私たちを導く。「空」とは誰のものなのだろうか？　智恵子とビルを埋め尽くそうとする力の対比は、皆のものでもあり、誰のものでもない公共的空間としての「空」を浮き彫りにする。

　ここで、公共的空間を可視化させつつ、場所と権利について問うという、福島の抱える問題から出発した毒山作品に通底するもう一つのテーマが現れる。出世作で本展にも出品される《経済産業省第四分館》（2016）は、経済産業省前の公共空間に出現した「脱原発テント村」を、理想的な恒久施設として（その住民たちの「目的」はいつまでも達せられないという矛盾も含みつつ）提案するものだ。毒山によれば、テント村内で開催された同展を経済産業省の職員がSNSで見つけ、「美術展なら」と2名で訪れ、テント村の人々と初めて交流した一幕もあったという。まさに異なる声の交差する場としての公共的空間の出現である。それに加えて本展では、近年爆発的に発達した、Airbnbに代表される都市のシェアシステムに着想を得た新作も発表される。各地がレンタルされるという思考の実験により、複数の力が行き交い分有される架空の東京の姿を、私たちは脳裏に描くことになるだろう。付け加えると、冒頭で述べたような一つの権利を獲得することで、毒山は閉ざされたその「中心」すら、究極の公共的空間となりうることを鮮やかに示してみせるのである。

Who does Tokyo's "Sky" Belong to? – The Works of Bontaro Dokuyama

Tomoko Yabumae

Bontaro Dokuyama resigned from his former job and had taken on a new name to pursue contemporary art practice in the wake of the contamination of his hometown due to the accident at the Fukushima Daiichi Nuclear Power Plant. The other day he showed me a copy of his family register, smiling as he said, "I don't know if this could be considered an artwork." Written under the column indicating one's legal place of residence was the address "1-1 Chiyoda, Chiyoda City, Tokyo." On the occasion of this exhibition that attempts to reflect the various aspects of current "Tokyo," Dokuyama had moved his family registry to the Imperial Palace. Using his own presence as a medium, he had succeeded with ease in forming a connection between the landscape of his hometown that had been dramatically transformed as a result of an unprecedented accident, and "the unchanging landscape" that is preserved in the center of Tokyo. One does not doubt that the accident in Fukushima had presented a significant impact on Dokuyama to the extent of him questioning all the knowledge and values he had thus far developed, and even innovating his very name and career. That being said, the fact that he had chosen to become an artist as opposed to engaging in direct measures such as denuclearization movements is indeed something that presents us with a certain implication. Thereafter Dokuyama has produced works based on interviews he conducted through visiting various individuals related to Japan's negative history including former Korean 'comfort women' and Taiwanese people who were educate under Japanese rule, yet he constantly maintains a neutral gaze as he stands behind the camera, while the words of these witnesses based on their personal memories at times serve to waver our perception. One could indeed say that he is relearning the history of friction through the voices of those involved. As reflected in his light and flexible manner in which he changes his life and family register, Dokuyama himself becomes a constantly changing and transparent presence that functions as a medium for visualizing multiple histories and social structures. Frameworks of thinking are not guided by prescribed ideologies, but are instead established based on the experiences of each individual viewer of the work. This exhibition series titled *Plans for TOKYO 2019* takes "Tokyo" as its setting and attempts to present possibilities of art that goes against the principles that control people's behavior and experiences as represented by concepts such as planning, management, and objectives. Recognizing that simply voicing one's assertions can eventually lead to the same impasse, perhaps Dokuyama, as his name suggests, had chosen to become a drop of "poison" *(doku)* = artist that brings incessant and unrelenting change to people.

What I would like to focus on at this point is the fact that people's assertions and messages that are often seen communicated in Dokuyama's work through means of singing, pointing, and shouting all harbor a sense of aimlessness that make them appear as if vanishing into thin air. An example of such presented in this exhibition is the video work *Even After 1,000 Years* (2015) and its new related piece *Innocent Tale of the Sky* (2019), which both derive their motif from the collection of poems *Chiekosho (Chieko's Sky)*. In the former, following the famous passage "Chieko says Tokyo has no sky" as featured in Kotaro Takamura's *Chiekosho*, Dokuyama himself can be seen pointing at the "real sky" that extends above Mount Adatara in the pouring rain as he calls out to Chieko. In the latter, a man sensationally proclaims how Tokyo's sky is being infiltrated as he stands on a construction site in Tokyo where last minute developments are underway for the Olympics. The emphasis here is not on the content of message that is being advocated, but rather on the bodily gestures and behavioral aspects pertaining to the act of assertion and voicing one's opinion. The motif of the "sky" also continues into the space towards the back of the exhibition room. Presented here, are "paintings" created by rain falling from the sky that is gradually disappearing in various parts of Tokyo. Although the imbalanced connection between Tokyo and Fukushima is an important motif in Dokuyama's works, the abstract nature of his oeuvre is not a direct denunciation of this and instead guides us towards a critical gaze against the use of power such as advocacy and possession. Who does the sky belong to? The contrast between Chieko and the forces that attempt fill the city with buildings is applicable to everyone, and through it highlights the presence of the "sky" as a public space that belongs to no one.

What emerges here is another theme observed throughout Dokuyama's practice that in essence originates from the issues confronted by Hiroshima, that is to say, his questioning of places and people's rights while at the same time serving to visualize public space. *The 4th Branch, Ministry of Economy, Trade and Industry* (2016) also featured on this occasion, concerns "anti-nuclear protest tents" that had been erected in the public space located in front of government buildings along with proposals to preserve it as an ideal permanent facility (also touching upon the contradiction that the "objective" of it protesting residents remain indefinitely unfulfilled). According to Dokuyama, two officials from the Ministry who came across information on social media regarding this project had visited the tents on the premise of it being for the sake of art, thus creating an opportunity for them to engage with its residents for the first time. This indeed is an example of the emergence of a public space as a place for different voices and opinions to interact with one another. Furthermore, the exhibition also introduces new works inspired by urban sharing systems like Airbnb that has seen explosive developments in recent years. By experimenting with this idea of each area of the city being available to rent, Dokuyama enables us viewers to envision a fictional image of Tokyo that exists through a system of partial ownership, and is a place where multiple forces of power go to and fro. In addition, Dokuyama clearly communicates that by acquiring a certain right as mentioned in the outset, even the closed and innermost "central" areas of the Tokyo (the Imperial Palace) have the potential to become ultimate public spaces.

毒山凡太朗×藪前知子
2019年4月6日（土）18時〜

藪前｜「東京計画2019」の第1回目は、毒山凡太朗さんです。

東京の抱える諸問題について考えるときに、オリンピック直前ということもあり、東京とは一体誰のものなのだろうといった「公共」というテーマにつながる内容を想定して毒山さんにお声をかけたのですが、最初の反応は、「自分はテーマと違うのではないか」というものでした。

毒山｜僕はもともと建築関係の仕事をしていたので都市について考えたことはあっても、都市計画のような専門的なことは専門家に任せればいいと考えていたのですが、お話をいただいて話していくうちに、自分の作品も都市の問題を扱ってきたのだと思うようになりました。今回出品している《あどけない空の話》という作品も、東京に来て最初に住んだ久我山で起きていた「公園を潰して保育園を作る」という動きのなかで、区と市民の間に対立が生まれていたことに面白さを感じたことがきっかけになった作品です。

藪前｜作品をずっと見せていただいていた側からすると、公共とは、毒山さんの本質的なテーマだと感じていたのですが、概念的にならずに、ご自分の身近な問題から考え直すところが面白いなと思いました。

毒山｜自分がその問題を抱えていなくて興味もないのにただ作品を作るのは、どうしてもウソっぽくてできなくて（笑）。自分が興味あることを掘っていくのは好きだし飽きないから、そこから始めています。

藪前｜今回出している作品は、《千年 たっても》という旧作と、新作の《あどけない空の話》が、空というテーマできれいに対になっていますね。《千年 たっても》が《あどけない空の話》によって完成したようなところもあるのかなと思うのですけども。

毒山｜実際は全然違うコンセプトで撮り始めたのですが、俳優さんと現場で撮影を始めた瞬間に何か違うと思って。風景を見ていたら空がきれいなことに気づいて、空を埋めることをテーマにした作品を作ろうと決めました。

藪前｜それで《千年 たっても》がまた召喚されてきたのですね。

毒山｜福島というのが大事な問題として自分のなかにあるので、そこから入ろうと。

藪前｜毒山さんは福島のご出身で、東日本大震災の後に建築家としてのキャリアや名前を変えてアーティストになったということで、「福島と東京の距離」というのはもとからご興味のなかにあったのではと思うのですが。

毒山｜そうですね。《千年 たっても》を作っているときから東京のことは意識していました。

藪前｜この作品では毒山さんご本人が登場していますが、誰に向かって叫んでいるのでしょうか？

毒山｜まず意識としてあるのは「福島だけの問題じゃない」ということ。ここで本物と言われている空は原発（事故）で放射能汚染されているかもしれないけど、その問題はどこでも起きる可能性がある。だから、「ここ以外は全部偽物」というのは東京に向かってというよりも、福島以外の全ての空に向けています。

藪前｜なるほど。このとき大雨が降っていますが、偶然でしょうか？

毒山｜偶然です。（高村）智恵子の話で作品を作ろうと思い、福島の安達太良山で、2時間くらい何度も撮り直していたのですが、何かが違った。そうしたら、山なので天気が変わり突然雨が降り出したので「来た！」と思い、急いでカメラを回して撮ることができました。最初はこんなに叫んでいなかったけど、叫ばないと全然カメラに声が入らなくて（笑）。

藪前｜雨は放射能汚染された雨粒が直接的に体に刺してくると観客に連想させるようなことがあると思うのですが、偶然できたということなのですね。

空というテーマは《Tokyo Drawing 2019》にも通じると思うのですが、この作品についてご説明していただけますか。

毒山｜パネルが3種類あり、大きいものにはオリンピックに向けて競技場など新しい建物が建っている場所の地

名を、小さいほうにはオリンピックをきっかけに再開発で新しい建物が建っている地名を、それぞれオリンピックカラーの5色のステンシルで描いた後に、雨で溶かして滲ませました。オリンピックへ向けて街の風景が変わっていくことと、智恵子を扱った二つの作品とをつなぐものとして雨をポイントに、智恵子の涙や、悲しみを考えた作品を作りました。

そうやって変わっていく場所を探していくうちに、なんでこんなに変わっていく所のことばかり考えているのだろう、福島も東京も変わっていく……変わらない所はどこだろう、と考えたら、皇居があった。それが三つ目のパネル、真っ白なキャンバスの皇居です。

藪前｜なるほど。まず具体的な地名をステンシルで描いて、それを雨で溶かしているのですね。その発想はどういうところからきたんですか？

毒山｜自然にというか、空というキーワードがあって。……なんでですかね（笑）？

藪前｜その抽象性が興味深いですね。これも一種の抽象画ということでしょうか。

毒山｜そう、抽象画みたいな感じ。

藪前｜皇居のつながりですと、受付カウンターの奥の壁に1枚の紙が貼ってありますが、あれは毒山さんの戸籍謄本を作品にしたものです。数日前に、毒山さんが「戸籍を皇居に移してきちゃいました」と見せてくださいましたね。

毒山｜福島も東京もどんどん景色が変わってしまうから、絶対に変わらない場所にいれたらいいなと思って皇居に戸籍を変えようと思ったんです。調べてみたら同じことを考える人が結構いて、皇居に本籍がある人が2000人くらいいる（笑）。役所に本籍を変えたいと相談しに行っても「皇居に……」と言うと、すぐに「ああ、皇居ね。住所？　言わなくても大丈夫、わかります」みたいな感じです（笑）。

藪前｜「皇居　住所」と打つと「本籍」と予測が出てくるくらい、ここに変えようと思う人が多いみたいですね。毒山さんはアーティストネームからも、ご自分をメディアと捉えて、アイデンティティを分解して透明にしていきたいという視点があるように思うのですが。

毒山｜あまり意識はしていないですね。ただ、やっぱりウソっぽくなるのは嫌で、本気でやったほうが、説得力

があって面白いと思うんです。

藪前｜丸めて日の丸にして作品化しようというアイデアもありましたが、結果的にはあのようにひっそりと貼るかたちになりましたね。

毒山｜行けないというのがまた良いですよね。あそこ（カウンターの中）に入れない、皇居だから。本籍は皇居にあるけど実際にはそこに行けない。福島にも通ずるところがあるなと。

藪前｜本当にそうですね。空にも通じると思うのですが、中心にあり象徴でもある究極の公共空間とも言えるけれど、誰も行けない、けれどもみんなのものでもある場所。

毒山さんのキャリアのなかで、3.11の後になぜアートを選んだのかということを伺ってみたいです。例えば脱原発運動などのアクティヴィズム的な動きをするのではなく、なぜアートをやろうと決断したのでしょうか？

毒山｜決断というよりも、僕、学生時代は理系だったのですが、美術学部がある総合大学に通っていたので、美術をやっている面白い人たちと出会い、自分もアートをやりたいなと思ったんです。編入したりはできなかったけど、美術館でインテリアや建築の展示を見て「そっちのほうだったらチャンスがあるかも、アートできるかも」という謎の勘違いをして、インテリアや建築を始めたんです（笑）。

藪前｜では初めからアートという存在が毒山さんのなかにあったのですね。

毒山｜はい。震災のとき、津波の映像を見て、明日もしかしたら自分も死ぬかもしれないと思ったら、いつまで俺こんなことをやっているのだろうとどんどん仕事が嫌になり、会社を辞めました。初めは街のお絵かき教室に通って静物画を描いたりもしたのですが（笑）、会田誠さんの「天才でごめんなさい」展（森美術館、2012）を見て、初めて映像でもアートができるのだと知り、会田さんを調べて美学校に通うようになりました。

藪前｜aMは武蔵野美術大学が運営するスペースですが、美大で学生さんと話していても「美大に入ったから何か作らなきゃ」という人たちが少なくないです。彼らに、強いモチベーションを持っている毒山さんを見てほしいという思いもありました。毒山さんはアートのどういうところに可能性を感じたのでしょう。

毒山｜可能性を感じたというよりも、震災が起きて原発の問題が迫ってきたときに、県外や東京の作家、国際展などで原発や福島の問題を扱う人たちはいっぱいいるけど、福島の人で扱っている人があまりいないと思ったんですね。福島の人で福島のことをちゃんとやるアーティストがいてもいい、僕が当事者として福島を代弁しながら作品を作っていくべきではないかと思い、福島をテーマにした作品を作り始めました。

藪前｜今回の出品作でもある《経済産業省第四分館》が、毒山さんが注目を浴びるきっかけになった作品だと思いますが、ここでは経産省前の公共空間のような場所を占拠していた活動家の方たちと実際にコミュニケーションをとりながら、彼らが建てた仮設的な建物を、より理想的で半永久的なかたちにしようと提案をしています。この作品はどのような経緯で作られたのでしょうか。

毒山｜2015年に福島の作品を作って福島で展示をしたので、東京でもそういうことをしたいなと思いました。そのときに、もしかしたら自分が反原発運動をしていた可能性もあったのかもしれないと思い、東京ではどこにそういう人がいるのかと調べたところ、経済産業省の前に彼らがいました。まずは話を聞きたいなと思い会ってみると、テントなので水も電気もなく生活と活動が分断されていて辛い、と。彼らは実は1日だけの予定で活動を始めたけれど、周りが盛り上がりすぎてやめるという選択肢がなくなってしまったそうで、「本当は今すぐやめてもいいのだけれど」と言っていたので、だったらいっそのこと生活と活動を一緒にできるように「ここに新しい家を作りましょう」という話を持ちかけました。
　経産省が原発を推進してどんどん作ろうというのも、それに反対して完全になくそうというのも、僕にとってはウソみたいな話を両方ともずっとしているように思えたので、僕もそこにありえない仮説を立てて切り込んでいくことで作品化（議論）できたらいいなと思いました。

藪前｜毒山さんはそこで活動している方たちを純粋に応援する気持ちもあると思うのですが、それだけではなく、もっと外側から両者を見ているところがありますよね。

毒山｜二項対立している両者の間にアーティストというまったく異質な存在が入ることで、何かが変わるのではないかという期待がありました。

藪前｜テント村を会場に展覧会を開いたときに経産省の職員が訪れるという奇跡が起きたそうですが、展覧会についてお話しいただけますか。

毒山｜テント村にはもともと男女別の宿泊用テントと倉庫用のテントの三つがあったそうですが、右翼の人たちに壊されたことが何度かあって危ないので、女性用テントを閉じて、活動を発信できるような「反原発美術館」を作ったそうです。
　僕が行ったときはちょうどそれができたばかりの頃で、一緒に作品の映像を撮っているときに彼らに頼んで展示をさせてもらったのですが、経産省の人が「経産省の立場的には推進しなければいけないけど、本心で言うと本当にこれでいいのかなという気持ちがある。普段なら入れないけれど、『美術展』なら美術作品を見に行くだけだから大丈夫。少しお話を聞いてみたい」というような感じで展示を見に来てくれたんです。そこで初めて反原発の人たちとの間に交流が生まれて、すごい和気藹々になっていました（笑）。

藪前｜その間のメディウムになったということですね。

毒山｜そうですね。あともう一つ、展覧会のときに建築予定表を模した作品をテントの前に貼ったのですが、それを見た事情を知らない弁護士さんが「ついに経産省がテントを撤去して新しい何かを建てようとしている！」と焦ってテントの人たちへ連絡網が回り、逆に経産省の人たちは「テントの人たちがまた何かおかしなことをしている！」と慌てていて、両者の間で誤解が生まれてしばらくざわついていました（笑）。

藪前｜単純に片方を批判するのではなく二項対立の間に入ることで何かを起こそうとしている。以前の慰安婦問題を扱った作品や、台湾の日本統治時代を経験した方たちへのインタビューを行った作品もそうですが、毒山さんは一貫して間に立っているのがとても興味深いと思います。

毒山｜批判するのだったらちゃんと市民活動や政治活動をしたほうがいいと思いますし、もう少し違うやり方で何かをできるのがアートなのかなと。

藪前｜なるほど。最初に東京は誰のものなのだろうという話をしましたが、毒山さんの作品には「公共空間は誰のものだろう」というテーマが、福島の問題ともつながる通底したものとしてあると思います。その文脈のなかで、今回の一番の問題作でもある《RENT TOKYO》について説明していただけますか。

毒山｜さっき話したように、少子化が進んでいて未来が大変な状態なのに、保育園を作ることにも反対運動が起きて子ども（＝未来）に全然投資できない一方で、一部の人たちが自分たちのことばかり考えてオリンピックをやろうと新しく建物を建てて、結局赤字になるかもしれないという状況もある。もっとちゃんと収益が出ることをやればいいのに、未来に投資したらいいのに……と思い、都市を貸せたらいいのではないかと考えました。実際に自分も DVD や機材を借りたりするし、都市をもっと共有できるようにしてお金を稼げれば、面白くていいんじゃないかなと。今みたいに一部の人だけが儲かるのではなく、還元しながら使っていける仕組みを作れればいいのではと思い、提案しました。

藪前｜貸すというのは、誰に貸すのでしょうか。海外から来た人やセレブでしょうか。

毒山｜そう、セレブとかに（笑）。貸すというテーマが浮かんで調べてわかったのですが、実際ドイツの近くの『カリオストロの城』の舞台になったリヒテンシュタイン公国という小さな国が、1 日あたり約 600 万円とかで借りられるそうです。あるミュージシャンが MV を撮りたいから貸してくれと頼み、そのときは断られたけれど翌年に借りられるようになったそうです。仕掛け人は Airbnb。国を貸すという発想は面白いなと思いましたね、同じことを考える人がやっぱりいるのだと思って。そこでは独自の貨幣を作れたり、標識や道の名前を変えられたりするのですが、そういうシステム化されたものすら借りられるわけだから、土地を貸すというのを、所有するのではなくみんなで共有しながら面白くできれば、赤字にならず黒字になるのではないかなと。

藪前｜メモがたくさん貼られていますけれど、どういうチャートでしょう。オリンピックに代表されるようなシステムや仕組みとどういった関係にあるのでしょうか？

毒山｜自分の頭の整理のためでもあるのですが、都市やオリンピックについて考えながら「貸す」というテーマに至った過程をビジュアル化しました。赤字になるくらいだったら黒字になるような方法を考えるという感じです。

藪前｜このままでは赤字になってしまうから、違う仕組みが必要になってくるのではということですね。

毒山｜オリンピックも、一瞬だけ使っていなくなるっていう話だから、それだったら TSUTAYA や Airbnb と同

じように、ずっと使っていけるようにしたらいいのでは、と（笑）。

藪前｜来場者から新たな街の利用法を提案してもらえるようになっているのですね。

毒山｜はい。例えば、映像では僕の提案を描いたドローイングがジャケットになっている DVD ケースを、千代田区役所の中にある図書館に置いてくる様子が記録されています。区役所がある場所がもともと花街だったらしいので、千代田区役所を中心に「千代田ソープフェスティバル」という名前のバブルパーティーをやるという提案でした（笑）。

藪前｜その土地が持っている特徴やポテンシャルが、今は切り捨てられてどこも同じような顔になってしまう。そういう状況への抵抗もあるのでしょうね。

毒山｜そうですね。例えば、上野とかでも、動物園を劇団四季に貸して、「リアルライオンキング」とかやったら面白いんじゃないかな。本物のキリンの横で人間のキリンが歩いているみたいな。そうやって土地を生かした提案をできたら本当に貸してもらえるのではないかと。

藪前｜区役所の中の図書館に置いてくるというのはどういった発想ですか？　最初は本当に TSUTAYA でやろうかという話が出ていましたが。

毒山｜TSUTAYA に置いてくるのは普通に企業に対する妨害だと思って（笑）。やるならもっときちんと提案したほうがいいなと思い、区役所の中の図書館に置くことで提案するというかたちになりました。

藪前｜なるほど。最初にメインビジュアルにもなっている TSUTAYA の旧ロゴのパロディのようなマークができて、どう展開していくのか様子を見ていましたが、初めの段階では誰に向かって提案するのかが曖昧だったのかもしれないですね。でも、ゆくゆくはセレブに提案でしょうか。

毒山｜そうですね。そのためにも、市や街に「貸す」という枠組みをまず提案しないと。「こういうふうに貸せますよ」といくつか提案をしてあげることで、あとは実際に貸せるような仕組みを作ってもらいたい。

藪前｜ゲリラ的な方法から、少しずつ届けていこうという感じですね。そろそろお時間ですが、ま

だ何か話したいことはありますか？

毒山｜奥の《経済産業省第四分館》のブルーシートに貼ってある看板は、2011年9月11日にテントが建てられたときにあるおばあちゃんが作ったもので、その5年後の2016年の6月に僕が個展をしたのですが、8月にテントが強制撤去になりました。展示をした1ヶ月後、撤去直前の7月くらいにそのおばあちゃんが「もう古いから新しくしたいんだよね」と言っていたので、「じゃあ僕が新しく作るから、僕に下さい」とお願いして譲り受けたものです。

藪前｜では、テント村にあるのは毒山作なのですね。

毒山｜はい。でも強制撤去になったから、僕が作ったやつは国に証拠品として押収されて、ある意味ではパブリックコレクションになりました（笑）。おばあちゃんが作った5年間掲げられていた看板を僕が持っています。

藪前｜すごいですね（笑）。撮影した方たちが亡くなられたと伺いましたが、作品であると同時に、貴重な記録でもありますね。

毒山｜テント代表の渕上さんが先日、癌でお亡くなりになりました。以前にインタビューさせていただいた韓国の元慰安婦の方もお亡くなりになるなど、だんだん証言者がいなくなってしまうので、今のうちにやらないといけないことがたくさんあるなと思います。

藪前｜今後もさまざまな作品を作る機会が控えていらっしゃると思いますが、やはり福島というテーマはご自分のなかではずっとあるのでしょうか？

毒山｜ずっと通底してあります。

藪前｜福島の問題も終わらないし、毒山さんの制作にもずっと残るだろうということですね。智恵子についてはどうでしょうか。

毒山｜僕と智恵子は通っていた小学校が同じで、家の近くに智恵子の生家もあるし、安達太良山のことも『智恵子抄』（1941）も、小さな頃から知っていたので、今回はそれを使ってみようということで作品になった感じです。

藪前｜本当に身近な存在だったということです

ね。実は昨日、犬吠埼にドライブしたんですけれど、偶然立ち寄ったのが、高村光太郎と智恵子が出会って、智恵子の死後に光太郎が『智恵子抄』を書いたとされているぎょうけい（暁鶏）館という旅館だったんですね。毒山さんの作品のことが頭にあったから、これは智恵子に呼ばれている気がしました（笑）。

ところで、毒山凡太朗という名前は次回の風間サチコさんが命名なさったそうですが、期せずして親子リレーになりましたね。

毒山｜ちゃんとバトンを渡さないと怒られそうな、中途半端にできない感じですね（笑）。この名前は、「凡太朗は犀川凡太郎[註]ってアナーキストの漫画家から。でもあなたは普通の人だから凡太朗でいいよ。でももっと毒が欲しいね、じゃあ毒山ね」と風間さんにつけてもらったのですが、結構良い名前だと思っています。

藪前｜ご本名は実はあの戸籍謄本に記載されてるのですが、かっこいい印象的なお名前ですよね。でも、初めからアーティストネームで活動しようとお考えだったのですか？

毒山｜そうですね、僕も今までやってきたことと違うところからアーティストとして生まれ変わるような気持ちで。でも名前って背負っていかなきゃいけないので、自分でつけるのは嫌だったんですよね。

藪前｜では、会場からご質問をいただきたいと思います。どなたかいかがですか？

質問者1｜3.11のとき、毒山さんは東京にいたのですか？

毒山｜はい、東京にいました。建築事務所で仕事をしていたのですが、事務所は神戸出身の人がたくさんいたので、地震が起きてネットで情報が流れるとすぐに水を貯めて、近くの図書館で情報を集めたりしました。

質問者1｜福島でも多くの人が「きれいな空だった」とか「夜は星が美しかった」と言っていましたが、やはり放射能が空を伝わって東京まで来ていますし、「変わらない空だけれども、そこには本当は放射能があった」という二重の意味があるから今でも空にこだわっているのでしょうか。

毒山｜《千年 たっても》も象徴するように、そうですね。

質問者1｜《あどけない空の話》はそうでもないですね。

毒山｜まあそうですね。《千年 たっても》は「ほんとの空」を扱った作品ですが、《あどけない空の話》は都市の話と接続させて偽物の空を扱っています。だから、「偽物の空を消してくれ、建物で！」「こんなの見たくない！」と、俳優さんに高村光太郎を憑依させるような感じなのですが、もともとは国や区の正義と市民の正義という二項対立に対して、アートとして違う正義で作品を作りたいというところから始まりました。

藪前｜《千年 たっても》は、もともとは「人が何かを主張するという行為そのもの」についての作品だったと思いますが、この《あどけない空の話》にも同じようなところがありますよね。毒山さんの作品では、何かを主張する人の振る舞いやアクションが印象に残るかたちで捉えられています。旧作である《千年 たっても》は、東京に住んでいる人間からすると福島出身の毒山さんにしか主張できない何かだと思うのですけれど、新作の《あどけない空の話》を見た後だと、主張するということを通して、この映像のなかの二人が同じ穴の狢のように見えてくる気がしますが、そういう狙いはもともとあったのでしょうか？　あるいは、主張をすること自体が持つ政治性のようなものを、毒山さんはどのように捉えているのでしょうか。

毒山｜どこまで声が届くのかを意識して考えたりしますけど、それがどこに行くのか、どこまで伝わるのかはわからない。でも主張するということは面白いといいますか、大切なことだなと思います。《千年 たっても》は作家としての態度ですが、《あどけない空の話》はどちらかというと高村光太郎のことを考えていたので、僕が出演しないで役者さんに憑依してもらっています。智恵子亡き後に高村光太郎が現代に来たら「もっと建てろ！こんだけいっぱい建っているんだから！」と言うのではないかなと（笑）。

藪前｜ご本人が出ていないことにも大きな意味があるのですね。ほかに何かご質問は……。冨井大裕さん、いかがですか。

冨井｜感想でもいいですか。本当は非常に語りづらい部分を語られているはずなのに、とても明瞭に聞こえてくるように思いました。政治的な問題を美術のなかで扱うということの意味を、ものすごく自覚されて、そのなかでできることを良い意味でわかって取り組んでいるのかなと思い、そういう作家の方が出てきていることが嬉しかったです。ありがとうございました。

毒山｜ありがとうございます。政治的な素材を扱っているので、ポリティカル・アートと言われることもありますが、実際にやっていることは全然ポリティカルじゃない。

藪前｜会田誠さんの展覧会に学ばれたというのはとてもわかるような気がします。会田さんも同じように、一見すると素材はすごく政治的でも、意味において一つの主張ではなく、アートでしか発信しえない領域を追求されておられますよね。

毒山｜それで、政治が変わっていったら面白いなと。

藪前｜諦めているのではなく、直接的ではないから時間はかかるけれど、長い時間をかけて思考の枠組み自体を変えていくような方法をとっている。それが長期的に有効であることを、震災のときに即座に直感され、アートを選ばれたというその反射神経が、毒山凡太朗というアーティストの強みですね。

　この「東京計画2019」は、「都市計画」という言葉にもあるように「計画」という考えの枠組み自体があらかじめ人の行動を規定してしまうことに対しての抵抗という側面もあります。毒山さんがアートに対して考えておられる可能性自体が、この「計画」とは違う枠組みの変化であろうことを想像しながら展覧会を依頼したのですが、そんなお話も伺うことができました。本日はありがとうございました。

[註] 望月桂（1887-1975）が『読売新聞』等で漫画家として活動した際に用いた筆名。画家、漫画家、挿絵画家、アナキスト。1916年から大衆食堂「へちま」を営むなかで、久坂卯之助や大杉栄といったアナキストらと交流し、1919年に彼らとともに黒耀会を結成。大杉栄との共著に『慢文漫画』（アルス、1922年）がある。

毒山凡太朗

2011年3月11日に発生した東日本大震災と東京電力福島第一原子力発電所事故によって、故郷である福島の状況が一変したことをきっかけに作品制作を開始。忘れ去られた過去の記憶や場所、現代社会で見えにくくなっている問題や事象を調査し、映像やインスタレーションを制作している。ある問題に対し、現地に赴いて当事者の声を聞き集め、そこに毒山自身が介入することによって成り立つ作品は、何が起こるか予測不能な現代において、ふとした瞬間に誰もが当事者たり得る可能性を観客に投げかける。過去と向き合い、何が残されているか、あるいは残されていないかを検証することで、歴史からこぼれ落ちる人々の記憶や感情、そして、今後埋もれていってしまうかもしれない現実へも光を当てる。

主な個展

2020 「SAKURA」LEESAYA（東京）

2019 「東京計画2019 vol. 1 毒山凡太朗　RENT TOKYO」gallery αM（東京）

2018 「Public archive」青山目黒（東京）

2016 「戦慄とオーガズム」Komagome SOKO（東京）

2016 「経済産業省第四分館」経産省前テントひろば反原発美術館（東京）

主なグループ展

2019 「あいちトリエンナーレ2019：情の時代」四間道・円頓寺エリア（愛知）

2019 「六本木クロッシング2019：つないでみる」森美術館（東京）

2018 「Assembling」K11 Art Mall 瀋陽（瀋陽）

2018 「HARSH ASTRAL – The Radiants 2」Galerie Francesca Pia ほか（チューリッヒ、リューネブルク巡回）

2018 「Gangwon international Biennale：The Dictionary of Evil」Green City Experience Center（江陵）

2017 「黄金町バザール2017：他者と出会うための複数の方法」黄金町エリア（神奈川）

2017 「Human Landscape」X and Beyond（コペンハーゲン）

Bontaro Dokuyama

Dokuyama started his artistic practice after witnessing the utter change to his hometown of Fukushima brought about by the Tohoku earthquake and tsunami of March 11, 2011, and the meltdown of the reactors at the Fukushima Daiichi nuclear Power Plant. He creates videos and installations investigating forgotten memories of the past, places, issues and phenomena that have become hard to see in contemporary society. Dokuyama's work involves the intervention of the artist himself by going to the location of a given incident to collect interviews with the people affected; he warns viewers of the possibility that, in our unpredictable modern world, anyone could become a victim at any time. By facing the past and investigating what has been left behind, as well as what has disappeared, Dokuyama reveals the memories and emotions of people who have fallen through the cracks of history, and the reality that fragments of ourselves may be buried in the future.

SELECTED SOLO EXHIBITIONS

2020 *SAKURA*, LEESAYA, Tokyo

2019 *Plans for TOKYO 2019 vol. 1 Bontaro Dokuyama: RENT TOKYO*, gallery αM, Tokyo

2018 *Public archive*, Aoyama Meguro, Tokyo

2016 *Shudder and Orgasm*, Komagome SOKO, Tokyo

2016 *The 4th Branch, Ministry of Economy, Trade and Industry*, Occupy Kasumigaseki Anti-nuclear Tent Museum, Tokyo

SELECTED GROUP EXHIBITIONS

2019 *Aichi Triennial 2019: Taming Y/Our Passion*, Shikemichi and Endoji, Aichi

2019 *Roppongi crossing 2019: CONNEXIONS*, Mori Art Museum, Tokyo

2018 *Assembling*, K11 Art Mall Shenyang, Shenyang,

2018 *HARSH ASTRAL – The Radiants 2*, Galerie Francesca Pia etc., Zurich and Lunenburg, traveling Exhibition

2018 *Gangwon international Biennale: The Dictionary of Evil*, Green City Experience Center, Gangneung

2017 *Kogane-cho Bazaar 2017: -Double Façade*, Kogane-cho, Kanagawa

2017 *Human Landscape*, X and Beyond, Copenhagen

2

風間サチコ

Sachiko Kazama

バ

ベ

ル

BABEL

ステートメント

「計画」に寄せて

　戦時中、焼夷弾が雨と降っても「避難せずに消火せよ」と国民に強いてきた〈大日本防空協会〉は、敗戦後、残余財産とともに〈都市計画協会〉と合併した。防空から都市計画へ……霞が関の外郭団体の強かな生き残りに、焼け野原と化した街を「白地図」と捉え俯瞰する、非情な（無責任な民防空法と同様の）眼差しを感じずにはいられない。都市計画とは、地上の市民のものではなく、天上から計画の鉛筆を走らせる行政機関のものだと言えよう。

　〈都市計画協会〉の創始者・後藤新平は、植民地政策のドンであり、満鉄初代総裁でもある。その満鉄のシンボル「特急あじあ」は巨大な試験場・満州で開発され、戦中の弾丸列車計画の頓挫を経て、1964年の新幹線開業の礎となった。このように、戦前戦中に中止を余儀なくされた「計画」のいくつかは、20年余りの歳月を経て、戦後にゾンビのごとく復活し、新幹線をはじめ、東京オリンピック、万国博覧会などは、日本の復興と経済大国への仲間入りを世界に知らしめ、成功をおさめたのであった。オリンピックと万博、この二大イベントを象徴的な建築で構成し成功へと導いたのが、建築界の巨人、丹下健三である。彼の1942年のコンペ一等受賞作品「大東亜建設記念営造計画」もまた「広島平和記念公園」の構想として復活した。

　「計画」の大風呂敷を広げる者、巨大建築を構想する者。彼らは時代を味方にし、青写真を未完に終わらせず、実現化することのできる超男性的な創造主である。善悪を超越し、野心的な線を定規で引ける神のような存在だ。そこで私は「東京計画2019」展にて、未完成の廃墟スタジアムでレガシーの可能性を描いた《ディスリンピック2680》をはじめ、完成への野望がすでに黄昏を匂わせる下絵や青写真の作品を展示し、創造主へ逆オマージュを捧げる「計画」をしているのである。

風間サチコ

Artist Statement
Some Thoughts on "Planning"

The "Air Defense Association of the Japanese Empire" which urged citizens during the war to "extinguish fires, rather than seek refuge" amidst the storm of incendiaries that poured down from the skies, along with any assets that remained after the nation's defeat, had merged with the "City Planning Association of Japan." Looking at this shift from air defense to city planning, one cannot help but sense the ruthless and commanding mindset (likewise to the irresponsible civil air defense policy) of the surviving members of such government-affiliated organizations that regarded the burnt ruins of the city as a "clean and blank map" on which to build on. One could say that city planning is not for the citizens who actually live upon the earth, but instead belong in the hands of administrative organizations who draft out their vast plans from the heavens above.

Shimpei Goto, founder of the "City Planning Association of Japan," was a leading figure in the establishing of Japan's colonial policies, and also served as the first director of the South Manchuria Railway Company. The "Asia Express" which had been a symbol of the railway was developed in the expansive testing ground that was Manchuria, serving as a cornerstone for the Shinkansen that began operations in 1964 after the various setbacks faced by the bullet train development plan during the war. In this way, a number of the "plans" that were forced into cancellation before and during the war, after 20 years or so, had come to resurrect like zombies in the postwar period. The Shinkansen, the 1964 Tokyo Olympics, and Expo'70 had celebrated much success, making Japan's reconstruction and rise to economic power known to the rest of the world. A key figure that significantly contributed to the success of the two major events –the Olympics and Expo'70- through the design and construction of symbolic architecture was Kenzo Tange, a renowned giant of the architectural world. Tange's 1942 competition design for the "Greater East Asia Co-Prosperity Sphere Memorial Hall" for which he was awarded first prize had also been revived as a concept for the "Hiroshima Peace Memorial Park."

There are those who devise vast "plans," and those who envision mammoth architectural structures. Taking advantage of the times that they live in, both are highly masculine creators who are able to realize their visions beyond a mere unfinished blueprint. They are almost god-like presences that transcend good and evil, with the ability to draft out ambitious lines as they wish. My exhibition for *Plans for TOKYO 2019* features *Dyslympics 2680* that depict possible legacies for the incomplete ruins of the Olympic stadium, along with sketches and blueprint works that already appear to imply the declining desire for completion. In doing so, I unveil my "plan" of presenting a reverse homage to their all-mighty creator.

Sachiko Kazama

《青丹記》 2019
‘Story of Blue Ball’ 2019

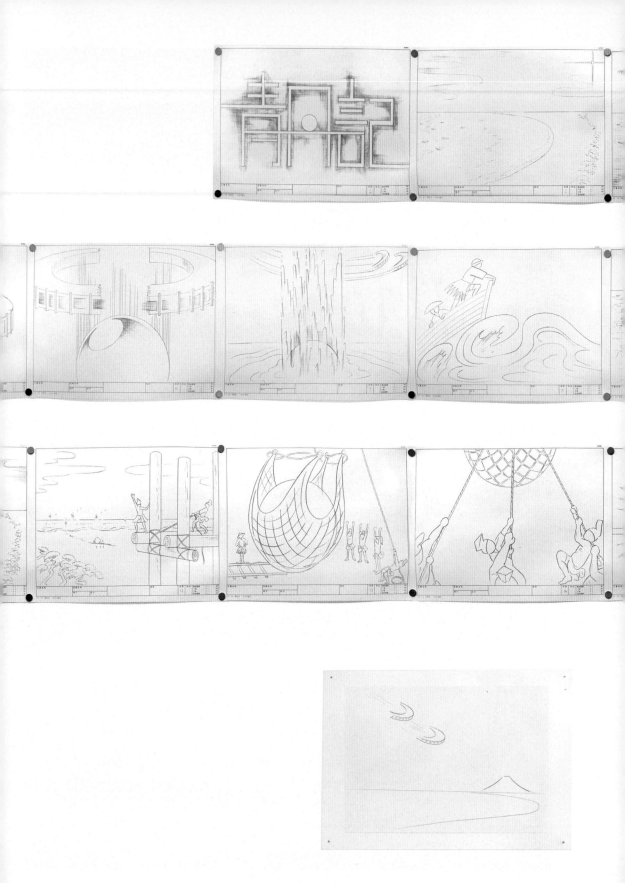

《青丹記》2019
'Story of Blue Ball' 2019

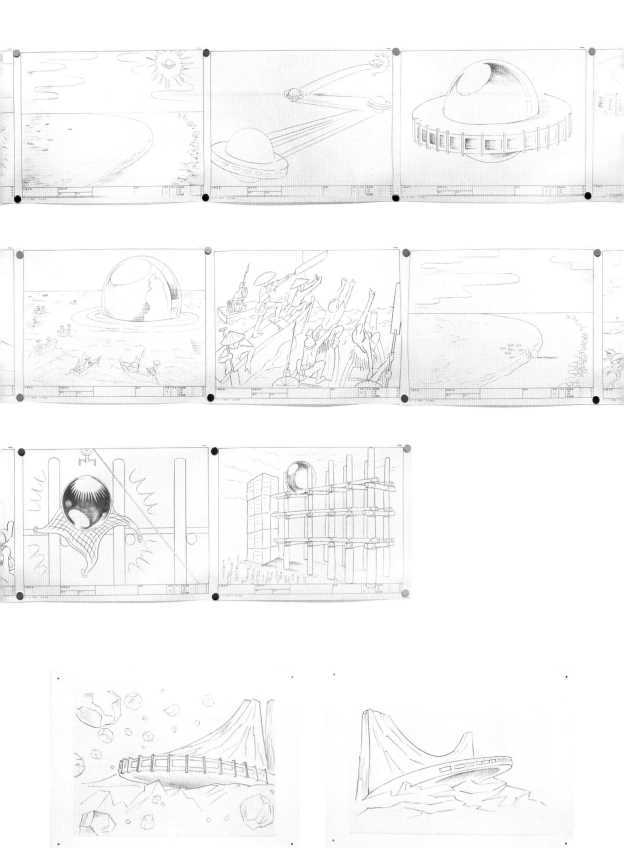

左.《バベル（ロゴ）》2019
left. ⌐BABEL (logo)⌐ 2019

右.《バベル（下絵）》1996
right. ⌐BABEL (sketch)⌐ 1996

《 バ ベ ル 》 2019
「 B A B E L 」 2019

《点景　H．L．－新宿中央公園》2008
'Staffage H.L. — the Shinjuku-chuou Park' 2008

上 . 《 脱 腸 構 築 》 2015
above.「Hernia Construction」2015

下 . 《 デ ィ ス リ ん ピ ッ ク 》 2015
below.「Dyslympics」2015

《ディスリンピック2680》（AP）2018

「Dyslympics 2680」(AP) 2018

《ディスリンピック 2680》（AP）［部分］
└Dyslympics 2680┘（AP）[detail]

《ディスリンピック2680》（AP）［部分］
「Dyslympics 2680」（AP）[detail]

61

《風雲13号地（下絵）》2005

'The Whirlwind of the 13th District (sketch)' 2005

《風雲13号地（下絵）》2005
'The Whirlwind of the 13th District (sketch)' 2005

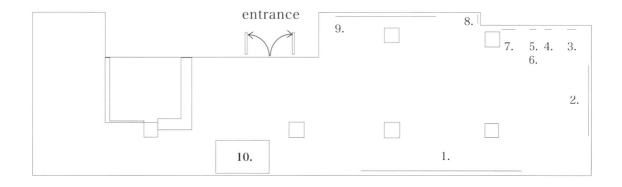

1. 《ディスリンピック 2680》（AP）
2018 ｜ 木版画（和紙、油性インク）｜ 242.4 × 640.5cm

2. 《バベル》
2019 ｜ 木版画（パネル、和紙、油性インク）｜ 130 × 181cm

3. 《バベル（下絵）》
1996 ｜ コピー用紙 ｜ 21.5 × 31cm

4. 《バベル（ロゴ）》
2019 ｜ リノカット（和紙、油性インク）｜ 10 × 15cm

5. 《脱腸構築》
2015 ｜ リノカット（和紙、油性インク）｜ 15 × 20cm

6. 《ディスりんピック》
2015 ｜ リノカット（和紙、油性インク）｜ 10 × 15cm

7. 《点景 H.L.—新宿中央公園》
2008 ｜ 木版画（パネル、和紙、墨汁）｜ 67 × 52cm

8. 《代々木外伝》
2019 ｜ 鉛筆、紙 ｜ 3 枚、各 21 × 29.7cm

9. 《青丹記》
2019 ｜ コピー用紙 ｜ 16 枚、各 25.7 × 36.4cm

10. 《風雲 13 号地（下絵）》
2005 ｜ トレーシングペーパー、水性ペン ｜ 42 × 90cm

1. *Dyslympics 2680* (AP)
2018 woodcut print (Japanese paper, oil ink)
242.4×640.5cm

2. *BABEL*
2019 woodcut print (panel, Japanese paper, oil ink)
130×181cm

3. *BABEL (sketch)*
1996 copier paper 21.5×31cm

4. *BABEL (logo)*
2019 linocut print (Japanese paper, oil ink) 10×15cm

5. *Hernia Construction*
2015 linocut print (Japanese paper, oil ink) 15×20cm

6. *Dyslympics*
2015 linocut print (Japanese paper, oil ink) 10×15cm

7. *Staffage H.L.– the Shinjuku-chuou Park*
2008 woodcut print (panel, Japanese paper, sumi ink)
67×52cm

8. *Yoyogi Gaiden*
2019 pencil on paper 3 sheet, 21×29.7cm / piece

9. *Story of Blue Ball*
2019 copier paper 16 sheet, 25.7×36.4 cm / piece

10. *The Whirlwind of the 13th District (sketch)*
2005 water-based pen on tracing paper 42×90cm

持たざる創造主の計画と実行――
風間サチコ論
藪前知子

　風間サチコの作品は常に念入りな「計画」のもと実現される。歴史の因果を紐解き、古今東西の視覚様式を研究し、それらを取り入れた各々の要素のスケッチを、歴史画や神話画を思わせる大画面の下絵に統合、さらにそれを拡大して卓越した技術で木の板に版として彫り出し、最後に一枚の紙にのみ刷り上げる。閑静な住宅街の一角にあるアトリエで、作家一人の手で密やかに遂行されてきた「計画」。木版画は、安価に熟練した技術を必要とせずに大量に刷ることができることから、草の根の情報発信メディアとして、歴史上、政治的・社会的運動と結びついてきた。その方法を、個人の抵抗手段としての特性を逆手に取りつつ、技術を磨き様式を洗練させ、「持てる者」たちのスペクタクルな視覚世界へと昇華させることで、風間は歴史上、「計画」という名の下に実行されてきた硬直した支配の構図を、たった一人の力だけで転覆させてみせる。本展で風間は、その密室の「計画」の実行過程を展示室に転送しつつ、人間を疎外する都市というシステム、さらにはそれを支えてきた近代の亡霊へと批判の照準を合わせていく。

　本展の中心をなす《ディスリンピック2680》（2018）は、皇紀2680年、優生思想で統制された近未来都市ディスリンピアで開催された架空のオリンピックのオープニング・セレモニーを描いたものである。現実世界において、皇紀2600年、つまり1940年に幻の東京オリンピックが計画されていたことはよく知られている。同じ年、総力戦体制が強まる中で、「悪質な遺伝子疾患を持つ者」を断種する優生保護法が制定される。この作品は、生命を操作する究極の「計画」とも言えるこの経緯を仔細に調査し、優秀な精神と肉体を顕彰するオリンピック、国民を選別する徴兵制度などを繋げて着想された。祝砲として太陽に打ち込まれる最優秀遺伝子「日出鶴丸」の肉体、国に奉仕するべく入場行進する「甲」の青年たちや人柱となる「丙丁戊」の人々……。全体の構成美と、細部における個の悲劇との鋭い対照が描き出される。

　一方で、風間作品の核には、抗えない力に翻弄される個への視線とともに、その全体の創造に関わる、神にも比すべき存在への強い興味がある。「東京計画2019」と銘打った本展に見え隠れするのは、「東京計画1960」を手がけた丹下健三の存在である。国土計画の規模を具えていたデビュー作「大東亜建設忠霊神域計画」以来、彼のグランド・ヴィジョンは、メタボリズム・グループらを刺激しつつ、都市計画、さらには国土計画が盛んに提案された時代を先導した。その動きは、東京オリンピックから大阪万博、田中角栄『日本列島改造論』を経てオイル・ショックに至り終息するが、バブル崩壊後の日本の姿を歴史の因果を紐解きつつ活写してきた風間は、すでにそのキャリアの早い時期から田中角栄を重要なモチーフとしてきた。丹下健三もまた、彼女にとっては改めて向き合うべき存在であり、本展ではそれを補助線として、いくつかの旧作に新たな文脈が与えられている。例えば風間の代表作の一つ《風雲13号地》（2005）は、お台場（埋め立て13号地）を舞台に、浮かんでは消えていった過去の公共事業を戦艦大和の亡霊に託したものだが、その背景には、丹下の最後の作品であるフジテレビ本社が見える。本展に出品されるその「計画段階」の下絵には、東京湾上に展開されるはずだった「東京計画1960」の幻を重ね合わせることもできるだろう。《点景 H.L.―新宿中央公園》（2008）は、ホームレスと東京の風景を描いたシリーズ作品のうちの一点である。遠景に見える、丹下建築の特徴である共同体のための象徴空間の造形。しかし地上からそれを見上げる人々の目線を借りて、風間の作品は私たちに問いかける。その共同体を構成しているのは誰なのか、それは誰が、どのように決めたのか。本展の新作《青丹記》（2019）では、その象徴空間の誕生にまつわるもう一つの物語（「計画」ではなく「縁起」）によって、「創造主」の超越性が解体される。

　歴史を訊ね、歴史を借りることは、風間にとって、「持たざる者」が戦うための武器である。過去、現在、未来を重ねて見出した破綻の予兆を、たった一人で創るという行為によって示す「創造主」の営みのパロディ。完遂のその瞬間に突き進むのみの数多の「計画」の先にある未来を、脳内に描くのは私たちの番である。

The Plans and Practices of a 'Have-Not' Creator– The Works of Sachiko Kazama

Tomoko Yabumae

Sachiko Kazama's works are always realized through a meticulous process of "planning." She explores the various causes and effects of history, and engages in researching the visual styles of all regions and time periods to create sketches that respectively incorporate these aspects. The sketches are then brought together and integrated to form a blueprint for a vast image reminiscent of a historical or mythological painting that is then further enlarged and engraved with outstanding skill to produce a woodblock from which a single print is finally made. It is a "plan" that is carefully orchestrated at the hands of the artist alone in her studio that is situated on the corner of a quiet residential district. Since woodblock prints can be produced in large quantities both inexpensively and without the need of skilled expertise, it has often been linked to historical, political, and social movements as a form of grassroots communication media. Kazama takes advantage of the characteristics of this method as a means for individual resistance, and further sublimates it to the spectacular visual realm of those in possession of wealth and authority. In doing so, she succeeds in exercising her sole power as an individual in overthrowing the rigid structures of control that have been implemented throughout history under the pretense of "planning." For this exhibition, Kazama transfers the setting in which her "planning" process takes place –from behind the closed doors of her studio to the exhibition room, all the while aiming her criticism towards urban systems that alienate human beings, and further to the ghosts of the modern era that had served to support it.

Dyslympics 2680 (2018), a central work featured in this exhibition, depicts the opening ceremony for a fictitious Olympic games held in the Japanese Imperial Year of 2680 in the neo-futuristic city of Dyslympia, controlled by a philosophy of Eugenics. It is well known that in the real world in the Japanese Imperial Year of 2600, in other words, in 1940, plans had been underway to host the never realized Tokyo Olympic games. In the same year, as all-out war systems had strengthened, the National Eugenic Law was established to allow the surgical sterilization of "people with serious genetic disorders." Inspired by her detailed survey of such course of events that indeed can be regarded as an ultimate "plan" to manipulate life, this work draws connections between the Olympic games and its honoring of superior spirit and body, and the wartime drafting system that served to select its citizens accordingly. From the canon containing the outstanding genes of "Hidetsurumaru" that is fired up into the sun in a celebratory salute, to the "A-Rank" youths marching in service, and other "C," "D," and "E" ranking youths who were to become human shields and sacrifices due to being rendered physically or psychologically inadequate, what is depicted here is the sharp contrast between the overall beauty of the composition and the individual tragedy reflected in the details.

On the other hand, alongside her consideration of the individual that is constantly at the mercy of unopposable power, at the core of Kazama's work is a strong interest in the almost god-like presence that is involved in the creation of the cohesive whole. That which can be discerned from time to time in this exhibition series titled *Plans for TOKYO 2019*, is the presence of Kenzo Tange who had proposed "A Plan for Tokyo 1960." Ever since marking his debut as an architect with his design for the "Greater East Asia Co-Prosperity Sphere Memorial Hall" which in itself was devised on a national project scale, Tange's grand vision, while providing incentive for the Metabolism Group, had led the way for the times when urban planning and national projects were being increasingly proposed. Such movements for grand scale development could be observed throughout the 1964 Tokyo Olympics to Expo '70, and further in Kakuei Tanaka's *A Plan for Remodeling the Japanese Archipelago*, eventually coming to an end as a result of the 1970s energy crisis. Kakuei Tanaka had been an important motif from the early stages of Kazama's career, who as an artist continues to vividly portray the circumstances surrounding Japan after the collapse of the economic bubble while attempting to unravel the nation's various courses of history. In addition, Kenzo Tange is also a figure that she considers necessary to reengage with, which in this exhibition becomes a point of reference in adding new context to some of her previous works. For example, one of her representative works *The Whirlwind of the 13th District* (2005) takes Odaiba (the 13th landfill district) as its subject, entrusting past public projects that were proposed and forgotten upon the floating ghost of Battleship Yamato. What is observed in the background of this vast ship is the Fuji Television Headquarters that is known to be the last project Tange had designed. It is perhaps possible to draw comparisons between the preliminary sketches presented in the exhibition which illustrate the "planning stages" of this work, and the vision of "A Plan for Tokyo 1960" that was to be realized upon Tokyo Bay. *Staffage H.L. –the Shinjuku-chuou Park* (2008) is a work taken from a series depicting homeless people and landscapes across Tokyo. Observed in the distance is the manifestation of a symbolic space for the community, which is a characteristic of Tange's architecture. However, through borrowing the eyes of those who look up from the ground at this mammoth structure, Kazama's work presents us with some key questions. Who constitutes this community? Who and by what means was this decision made? In her new work *Story of Blue Ball* (2019), she deconstructs the transcendency of the "Creator" through presenting another narrative (not of "planning" but of "fortuity") related to the birth of this symbolic space.

For Kazama, looking back upon history and borrowing from it becomes a fighting weapon for those who are deprived of power and authority. Through the solitary act of giving form to foreboding signs of collapse and failure, discerned by bringing together and integrating elements of the past, present, and future, what she conveys is a parody regarding the workings of the all-mighty "Creators." It is now our turn to map out within our minds the future that lies ahead of the numerous "plans" that simply continue to progress towards the very moment of their completion.

風間サチコ×藪前知子
２０１９年６月１日（土）１８時〜

藪前｜「東京計画2019」の第2回は風間サチコさんです。東京は今、どこへ行っても、来年のオリンピックへ向けてさまざまな力によって都市開発や再開発が行われて街の風景が変わっていく状況です。大きな力によって人間の経験がとても平坦なかたちに画一化しているように思いますが、まずは、東京と都市計画について、お話を伺いたいと思います。

風間｜地方都市の駅前に代表されるように、今はどこの風景を切り取っても同じように均質化されていますよね。それは今に始まったことではなく、1972年の田中角栄の『日本列島改造論』から始まっていて、今は本当に末期で、取り返しのつかない、後戻りができない現状になっていると思います。

藪前｜「今に始まったことではない」、常に歴史の因果を探ることが風間さんのテーマにありますよね。今回のαM「東京計画2019」は、東京大学丹下健三研究室が提出した「東京計画1960」という、幻の都市計画を下敷きにしています。高度経済成長期、これから起こる人口爆発にいかに対応するかという「計画」です。

風間｜湾岸地区の空き地を、いかに利用し、自分たちの手柄にするか、という空間利用に対しての建築家の欲望が垣間見える計画でもありますよね。絵面的にはユートピア的な感じですが。

藪前｜丸の内から木更津まで海上都市を作るという壮大で美しいプランではあるのですよね。それを下敷きにしたうえで、東京という都市を考えるというテーマを風間さんに投げると、やはり丹下健三の存在が浮かび上がってきました。

風間｜丹下健三という、野心をむき出しにした、いかにも昭和のおじさん像のキャラクターは、私が以前から扱っている田中角栄にも共通していると思うのですが、そういう昭和の男像に嫌悪感も覚えつつ、親近感も抱いてしまう。改めて、どういう人なのだろうと調べていたら、戦前の、大東亜共栄圏、満州の開発へ向けて発揚させるイベントの一つである「大東亜建設記念営造計画」というコンペに、彼が提出したプランに辿り着きました。日本の皇居から富士山の間を、アウトバーンのような高速道路で真っすぐにつなげて、富士の麓の富士山が一番よく見える広場に神殿を建て、その間から富士山を望む空間を作るという壮大な計画です。

藪前｜彼のデビュー作ですね。風間さんのステートメントでは、それが戦後の「広島平和記念公園」のプランに引き継がれているのではないかという指摘がありましたね。

風間｜1940年代と1960年代には何か因果のようなものを感じています。1940年に開催予定の幻のオリンピックと万博が、戦時中の国際的な状況から断念し、20年後の1960年代にその無念を晴らしたことをはじめ、東京から下関まで弾丸列車で高速で移動できるという1936年のプランが東海道新幹線の青写真になるなど、たくさんあります。

藪前｜1942年に「近代の超克」と題した有名な座談会がありますが、日本が南方進出していくにあたり「西洋から輸入された〈近代〉ではなく、それを超克して乗り越えていくべきだ」というこの本が、竹内好によってまさに1959年に復刻されています。その端書きに「この問題は解決されておらず、現代に引き継がなくてはならない」と記され、ベストセラーになりました。敗戦によって中断された「近代を乗り越える」という議論や問題が、50年代終わりの高度経済成長期の直前に、近代の亡霊とともにもう一度蘇ったような。今回の展示も、第二次世界大戦のさなかの計画が、しぶとくも戦後の高度経済成長期に再び現れる事例を主要なモチーフとされてますよね。

風間｜はい。《ディスリンピック2680》は、母体保護法のもとになった1940年に作られた法律の「国民優生法」がテーマになっています。戦後に「優生保護法」となり、現在はニュースなどで「旧優生保護法」と呼ばれているもので、今になってようやく被害者の人が声を上げ始めて訴訟が起きていますが、ずっと忘れ去られていました。この法律は、もともとは国民の健康状態を統制し、不健康な因子を排除することで国力を上げよう、というポジティブな意思なのですが、私にはいつもネガティブな悪のほうが際立って見えてしまう。

藪前｜ポジティブな意思のなかにあるネガティブな面を「見逃さないぞ」と疑うのですね。この作品は、「国民優生法」に対する怒りから始まったの

でしょうか。

風間｜怒りというか、どうしてこんなにグロテスクな体制がパッとできてしまうのだろうと。本当にディストピアの世界ですよね。それを自分なりに、健康至上主義の象徴としてオリンピックと重ねて物語化したら面白いのでは、と思ったのです。

藪前｜来年のオリンピックがあるからそのような発想をしたのでしょうか。もともと興味がおありだったのですか？

風間｜もともと1940年代に大政翼賛会が作った、ぞっとするような法律に興味があり、「国民優生法」はその一つでした。健康至上主義は、その当時の行き着くところでいうと、徴兵できる強い兵隊を育てるためのもので、そのもくろみのもとに、健康優良児という美辞麗句で包み育てることに歪みがある。自分も過去に不健康を無理やり矯正されそうになった経験があるので、許しがたいなと。

藪前｜この作品は、1枚の版画でもあり、ゆくゆくは漫画として展開していく恋愛ストーリーのクライマックスシーンとしても描かれているのですよね。

風間｜まだ6Pしかないですけど……（笑）。架空のオリンピックの開幕式という内容で、画面にはランク付けされた人たちが描かれていて、向かって左側が優秀なチーム、真ん中は中庸、右側が排除される側の脱落者や劣等なチームで、それぞれ甲乙丙で分けられています。

藪前｜上のほうにある太陽のようなものに向かって、何かが放出されていますね。

風間｜中心上部に太陽を模して描かれているものは、「優秀な卵子」という設定です。左側に描かれている隊列は優れた「甲」の組で、「学徒出陣」と「ナチスの国家労働奉仕団」をダブルでイメージしていて、そのなかで最も優れている男子の精子のようなものが優秀な卵子に向けて発射されている。それが「日出鶴丸」です。

藪前｜「日出鶴丸」という主人公が、「優秀な卵子」に向けて発射されていると。

風間｜はい。そして中心にはトレーニングセンターがあり、優秀な母体を作るために女子たちが毎日訓練を受け、従順な女子を育成するためのマスゲームに参加させられています。右側にはこの建設の成功を祈るために人

柱になる存在が描かれていて、この優生法で排除された、生まれる前の魂のような、赤ちゃんのような小さな人たちが犠牲になっている、少し残酷な光景ですね。

藪前｜この作品は、去年、原爆の図丸木美術館で行われた「風間サチコ展　ディスリンピア2680」（2018）で、新作として展示されていましたが、これからオリンピックへ向けて、多くの会場をツアーさせていくのですよね。

風間｜はい。普通大きな作品はパネルに貼って展示しやすくするのですが、輸送量がネックになるので、これはあえて14枚の紙のまま、それぞれを壁に直に貼るようにしていて、小さい自動車でも運べるようになっています。

藪前｜本来は拡散の手段である木版画ですが、風間さんの作品は木版画なのに1枚しか刷らないから、実物を持ち運ぶしかないわけですよね。

風間｜普通このサイズの版画だとプレス機で刷るのですが、私は25年前に手作りで作った竹皮の小さなバレン一つで刷るので、作業がとても大変なんです。《ディスリンピック2680》を刷ったときは、腱鞘炎で痛くて震えたくらいで、魂を込めて刷るので体力も限界で、1枚で力尽きてしまいます。もちろん、ちゃんとしたコンセプトもあるのですけど。

藪前｜1枚しか刷らないのは最初から、とおっしゃられていましたよね。

風間｜はい。25歳のときに銀座の貸し画廊でデビューしたのですが、新聞の折込チラシにある、西洋風で庶民が憧れる白亜の城のようなポジティブできれいな家の写真をモチーフに、真逆のネガティブな真っ黒でおどろおどろしい絵に焼き直すような《存在の同じ家》（1997）という組作品を作っていました。緻密に計算して版に墨汁をのせてゆき、黒からグレーまで塗り分けて刷る作業は1枚の絵を描くのと同じくらい大変で、それを何枚も同じクオリティでできるかというと、本当にすごく頑張ればできるかもしれないけど、それをする必要がないくらい1枚に魂を込めて刷っていたので、エディションを刷ることを勧められても、「私、版画家じゃなくて美術家なんです」と、生意気を言っていました。

藪前｜「東京計画」を謳った今回の展覧会には「計画」という考え方に含まれるマッチョイズムを疑い、「都市計画」という考え方が今後も可能なのかを投げかける意図があったのですが、

風間さんの作品は制作段階で、かなり緻密な「計画」がなされているのですね。《ディスリンピック2680》も、ナチスの雑誌やグラフィックを研究し、構想にとても時間がかかったと伺いました。

風間｜優生思想が芽生える大正時代から掘り下げて、それがどういうところから始まり、否定されずに育てられたのか、そのプロセスを探るために古本を買って読み漁り、それに4年かけました（笑）。

藪前｜今回は、「計画」のプロセスを示すために、普段なかなか拝見できない下絵も展示してくださいましたね。

風間｜《風雲13号地（下絵）》ですね。あれは丹下健三の計画を自分が利用した作品で、戦艦大和の船体にお台場のバブリーな建物が載っている絵ですが、それらの建物自体が、1996年の世界都市博覧会の頓挫という歴史によって建てられたもので、この作品ではその都市博の頓挫に大艦巨砲主義を重ねています。多くの公共事業は、最初の段階では夢いっぱいな感じですが、今回の東京オリンピックも最初はコンパクトにやろうと言っていたのに結局は膨大なお金がかかるように、一度ゴーサインを出してしまうと、膨らんできたものになかなかストップがかけられず、都市博も都知事が代わるくらいの切り替えがないかぎりストップできなかった。そういったことと、戦時中の帝国海軍が「大きな軍艦があればあるほど国は強くなれる」という幻想を捨てられず、なかなか製造が止まらなかったことが重なるような気がしたのです。そもそも、都市博自体が、丹下健三の「東京計画1986」バージョンの夢の続きで、彼のなかにずっとあったプランを焼き起こす博覧会でもあったのですよね。

藪前｜打ち合わせで風間さんに資料を見せていただいて、実は1940年の時点でも同じような海上都市のプランがあったのでは、というご指摘を伺い、驚きました。

風間｜幻のオリンピックと言われている1940年の万国博覧会の記念ハガキですよね。東京の晴海やお台場周辺を万博会場にするプランが、丹下健三の「東京計画1960」や、「東京計画1986」につながり、ウォーターフロント計画までつながっていると思います。

藪前｜いまだに豊洲や有明の開発は続いていますし、来年のオリンピックもここで行われますね。

風間｜ほかにも、今私が持っている雑誌は90年代のバ

ブリーな頃の『Newton』ですが、この「東京インテリジェントシティの登場」を見てもわかるように、この時代の『Newton』は、科学雑誌なのに夢のような特集ばかり。丹下健三が「東京計画1960」で考えていた「ジオフロント」という道路を多層化するプランを取り上げていますが、これは行き交う交通を整理するために、上り／下り／歩く人と、全ての階層を分けることで、信号をなくし、人間や車がノンストップで動き続けることを可能にするものです。

藪前｜人間が単なる情報として、動き続ける匿名の存在として扱われている。ノンストップであることをポジティブに考えていたわけですよね。

風間｜でも、人間は血管の中の血液のように循環し続けることは不可能で、信号があることで休憩し、次はどこへ行こうと考えるきっかけにもなるのに、それがない怖い世界です。当時の資料を見ると、それが彼だけの夢ではなく、日本のゼネコンのなかで普及していたのが顕著に表れていますし、それを実現するための世界都市博覧会であり、実験場としてのお台場だったのでしょう。

藪前｜風間さんの《風雲13号地（下絵）》では、その「実現しなかったある地域のプラン」が重ねられ、戦艦大和に載っていると。

風間｜そう。そこには丹下の設計したフジテレビの社屋もありますが、今回の新作《青丹記》にも、フジテレビ社屋建立の架空のストーリーが描かれています。

藪前｜《風雲13号地》も完成品は4mを越す大作で、今回はその計画段階の下絵を展示していただきましたが、この《青丹記》は、あえて青焼きのまま完成なのですよね。

風間｜「計画」というテーマがあったので、建設用の下書きの紙にドローイングで物語を描き、最終的に青焼きで展示しようと考えました。プランを考えた時点で、ある会社のホームページを確認して安心していたのですが、更新されていなかっただけのようで、電話をかけたら「3年前に感光紙が製造中止になり、都内ではおそらく1軒もやってないでしょう」と言われてしまい、仕方なくコンビニで単色コピーをして、場をしのぎました（笑）。

藪前｜この作品はどういうことから発想したのでしょうか。丹下の「丹」を、「まる」という意味に読み替えているのには、すごい発想だと感動したのですが。

風間｜人間は昔から、球体などの幾何形体、例えば、ピラミッドのように完成されたシンメトリーな形や、自然界では存在しないけれど人間が手がけることで完成する形に対して、神秘性を感じたり、崇拝感情のようなものがあると思っているのですが、そういったものを再現したいという夢が、建築家にはあるのではないかなと。丹下自身も男性的な存在として、余白があれば全てを自分がコントロールしてしまうような、空間を支配する神格性やマッチョイズムがあると思ったので、《青丹記》では、そうではなく、「実は神様が創った創造物だった」というフェイクの物語を作りました。

藪前｜丹下の若い頃に書いた、ミケランジェロに建築家の理想像を見る有名なエッセイ「MICHELANGELO頌」（1939）からも、彼の全能感を読み取ることができるのですが、《青丹記》では丹下の存在は姿を消し、漁民が登場しています。

風間｜彼らが宇宙から飛来してきた謎の球体を御神体にする物語ですね。

藪前｜ですから、この物語は「計画」ではなく、「縁起」なんですよね。「フジテレビ社屋縁起」とすることで、丹下の存在を解体している。

風間｜建築の影に何か「人間が神になりたい」という願望が潜んでいると思います。この作品で海面に大きな球体を落としていくUFOの形は、フランス革命期の建築家で、実現不可能な建築を紙で空想するエティエンヌ＝ルイ・ブレという人の「ニュートン記念堂」から引用しているのですが、人間が宇宙を創造する神に近づくための儀式的な空間・建築物で、中が空洞で人間が蟻に見えるほど巨大な建築物です。

　「広島平和記念資料館」も、先ほど話に出た「大東亜建設記念営造計画」のプランに日本画のようにぼんやりと小さく描かれた神殿のようなものが元ネタではないかと思うのですが、神を象徴する空間を作りたいという願望は、どんな建築家にもあるのではないかなと。

藪前｜フジテレビはブレへのオマージュであったのかもしれないですね。《点景H.L.—新宿中央公園》に描かれた「見覚えのある建物」も、シャルトル大聖堂へのオマージュではないかという見方もあると思いますが、丹下は共同体のための象徴空間を作ることに強い興味を持った建築家だという気がします。この《点景H.L.—新宿中央公園》についてもお聞かせいただけますか。

風間｜見覚えのある建物「T庁」が描かれている作品ですね（笑）。「点景H.L.」という4点で四季を表現している組作品の一つですが、H.L.はホームレスの略。展示してあるのは秋のバージョンで、H.L.の皆さんが砲台を用意してカラスを味方にして「俺たちを排除しようとしているあいつらT庁を狙ってやろう」という情景を描いています。

　隣にある《脱腸構築》という小さい作品は、ザハ・ハディドを元ネタに、脱構築などの建築界の流行りの様式や思想を少しおちょくっています。ザハの国立競技場風のお尻の真ん中からメタボリズムなチューブが飛び出している、まさに脱腸状態を描いた作品ですね（笑）。

藪前｜新作の《バベル》についてはいかがでしょう。

風間｜バベルの塔、バビロンをイメージした《バベル》は、今回の展示のメインビジュアルになった作品ですが、DMの画像はこの新作の木版画ではなく、23年前にコラージュして作った下絵のほうで、そのコピーも展示しています。23年前に、《存在の同じ家》や《逆算の風景》（1999）という家シリーズを作るなかで、新聞広告で銅版画のように精密に描かれた分譲地の不思議な絵を見て、気持ち悪いからエッシャー風に組んだら面白いのでは、と下絵を作り、版画にしようとしたのですが、絵が細かすぎて気持ちが折れて、23年間放置していたんです。藪前さんからお話をいただいたときに、計画が蒸し返されることも含めて、この企画にぴったりだと思ったのですが、若かりし頃の私の判断は当たっていて、超大変でした（笑）。

藪前｜すごく細かく描かれた作品ですが、昨日の夜に完成したのですよね。

風間｜初めて見たときに「気持ち悪い」と感じた細かな銅版画のようなタッチをきちんと再現しないと全く絵が変わってしまうから、このマンションの壁面タイルも1枚ずつ全部凝っています。下絵がコラージュの作品なので、この版画自体もコラージュにしようと思い、マンションの棟の4パターンの版をそれぞれ複数枚刷り、画面上で再構成したのですが、それぞれを貼る順番が複雑すぎて混乱してしまいました。

藪前｜まさに計画が頓挫しそうだったのですね。

風間｜ただ、23年前にこの広告イラストに対して面白いと思った感覚や、これを版画にしたら面白いだろうと思ったときの情熱は、そんなに萎えないのだなと思いました。作品を作るのはもちろん大変でしたけど。

藪前｜下絵を作られたのは 96 年ということですが、そのときからすでに建築や郊外、共同住宅をテーマに扱っていたのですか。

風間｜はい。96 年というとホンマタカシさんの『東京郊外 TOKYO SUBURBIA』（1998）などが注目を浴びる少し前でしたが、時代的にも「郊外」という言葉がキーワードになっていて、自分としても高度成長期に対して引っ掛かりがあり、バブル以降まで続く持ち家信仰やマイカー信仰などに対して、人間はそうやって生涯一生を消費一本で尽くしてしまっていいのかと疑問を持っていました。

藪前｜90 年代半ばといえば、バブル崩壊がいよいよ自覚され始めた時期ですが、そこまで意識的に以前の価値観が否定されていたわけではなかったと思います。風間さんの意識は早いですね。

風間｜バブルが弾けても、反省してこれから新しく違う価値観を作るという意識よりも、もしかしたら少しのきっかけでまた良い時代に戻れるかもしれない、という願望のほうが強かったのだと思います。戦前と戦後というターニングポイントが切り替えにならず、戦前に失敗したことを戦後に成功させようという欲望が脈々とあったことと同じように、「いつかもう一度盛り上がりが来るはず」という期待を持ち続けている。

藪前｜豊洲周辺では今もタワーマンションの開発などが進んでいて、この 20 年間で価値観があまり変わってないのではという感覚はあります。この《バベル》はそういったなかで蘇ったのでしょうか。

風間｜そうですね。今回の《バベル》のように出来心でついやってしまったことでも、やってみたら達成感はあって、それはオリンピックや万博と一緒かな、と、否定しきれず、それが好きな自分もいる（笑）。例えば、今年は元号が令和に変わり天皇も代わりましたが、そういうことに対して、ヤフコメとかもしっかり見ちゃう、遅れたくない、見ていたい、知りたい、という願望を持つ自分もいます。

藪前｜時代に対する視点として、細かい事象への突っ込みと俯瞰の二重性が、風間さんらしいですね。

風間｜自分が嫌悪感を抱いたことに対して、否定して距離を置き、高等遊民になりたい自分と、ドブのなかに入って汚いものでも拾いたいような、スマホでヤフコメをチェックする自分もいる。日々それの積み重ねという感じです。

藪前｜今回のステートメントで、風間さんは創造主に対し、「超男性」、マッチョともおっしゃっていましたが、そんな言葉を使われています。風間さんはあまりこういう質問をされたことがないと思うのですが、女性アーティストであるということが自分の作品に何か影響しているということはありますか。

風間｜影響していると思いますか（笑）？　扱う題材が昔の事柄が多いせいか、木版画のタッチがそう思わせるのか、熟年男性の作と間違われることもあります。自分としては、ジェンダーや性別と美術って、あまり距離が近くないというか、深く考えず、むしろ男気で頑張りたいと思っています。

藪前｜数日前に東京新聞に掲載されたインタビューでも、「空手家バカ一代の一撃必殺を壁に貼りながら描いています」とありましたね。

風間｜あとはニーチェの変なスローガンとか。むしろ精神的には男に近いと思っています。そっちに憧れちゃったかな。

藪前｜憧れと嫌悪との入り混じった感情でしょうか？

風間｜そんなに葛藤はなくて、自然と同居しています。

藪前｜あっという間に時間がきてしまいましたが、ご質問がありましたら。

質問者 1｜全部実在の分譲マンションの広告ですか。

風間｜はい。全部、当時の新聞から切り抜いています。

藪前｜95 年頃のニュータウンが興隆してきた時期、マンションの増幅と、同じ版を組み合わせて無数に増殖させる技法が重ね合わさっていますね。

質問者 1｜《ディスリンピック 2680》に、甲乙丙丁の「乙」の文字がありませんが、乙の組はどうなっているのですか。

風間｜「乙」は「乙女」とかけていて、真ん中の乙女の

チームが「乙」チームで、「第二の性」というイメージです。つまり、男がいて女がいるというように、必ず女が二番手にくるという。

藪前｜女性というだけで劣等人種ということですね。これはシリーズ作品も増えていくのでしょうか。

風間｜ディスリンピアンというディスリンピックで活躍する最も優れた選手たちの「九軍神」シリーズがありますが、まだ3人しかできていないので、乞うご期待です。

藪前｜風間さんは今年「Tokyo Contemporary Art Award（TCAA）」を受賞されまして、海外をリサーチし、オリンピックの翌年2021年に東京都現代美術館で発表される予定ということです。[註]

質問者2｜制作期間はどれくらいですか？

風間｜《バベル》はすごい猛スピードで作りました。まずコピーの下絵をさらに拡大コピーし、版木にトレースして彫るのですが、かなり頑張って1ヶ月くらいで作りましたね。《ディスリンピック2680》のほうは、構想に4年かかりましたが、構想に時間をかけすぎて、制作する時間がなくなってしまい、実際の制作は半年くらい。刷る時間もなくなって、初めに展示した丸木美術館で、当日も刷っていたくらいです。大きな作品は日を空けて刷るとコンディションによって色味が変わってしまうので、仮眠しながら、数日かけてボロボロになりながら刷っていました。

藪前｜風間さんは東京生まれですが、今回の「東京計画2019」に参加して、東京の今後について、何かメッセージはありますか。

風間｜私は作品にはほとんどメッセージ性がないということで、受け手の方に任せています。

藪前｜木版画はプロパガンダに好かれた手段でもありますし、風間さんにバリバリの政治闘争のイメージを持たれている方や、メッセージ性を込めないことを意外に思う方もいるのではないかと思います。

風間｜私は無政府主義すら否定するくらい、思想に気触れちゃいけないと思っていて、自分の主観だけで何かを判断しないと作家としてだめになってしまうと思っているので、そこは貫いています。

藪前｜視覚的なイメージに全てを託しているのですね。例えばナチスのイデオロギーなども、直接批判するのではなくナチス・ドイツの造形などを引用し、それが持つ視覚的意味を受け手に託すことをされていましたね。

風間｜丹下や都市開発の問題もそうですけれど、イメージや形が醸し出す歴史性やナンセンスな感じはそのまま使えると思います。それを自分のなかに取り入れて、もう一度再現できるかが重要で、木版画はそのプロセスのなかでワンクッション置けるのがいいですね。

藪前｜取り込んだものを重ね合わせられる手段ということですね。写真や絵画よりも……。

風間｜そうですね。今回はお題をいただいたことで、自分なりに丹下について考え直す機会になり、若い頃に戻ったように、気持ちがリフレッシュできました。

質問者1｜ちょっといいですか。結局、丹下健三はリスペクトなの、ディスっているの？

風間｜すごく難しいのですが、丹下健三や田中角栄に対する関心と興味は、ただ単にディスっているわけではないんです。歴史的に振り返るときに、功績も負の側面もある全てひっくるめての人間に興味があるのですが、それに対し、「それで本当に良いのかな」と自分の視点で振り返ることがやりたい。白か黒か決めるのが難しいから人間は面白いという。

藪前｜私たちもこの状況に加担し、共犯的な関係でもあるということを風間さんは自覚されているのだと思います。先ほど、「嫌いだけど好き」というアンビヴァレンスが風間作品の核なのではないかとお話ししましたが、この展覧会が、風間さんの90年代半ばから近年までの問題を考える機会にもなり、丹下も今後そういうかたちで探求されるということですね。それではお時間になりました。ありがとうございました。

[註]「Tokyo Contemporary Art Award 2019-2021 受賞記念展」2021年3月〜6月開催予定。オリンピックは2021年の夏に延期予定（2020年7月現在）。

風間サチコ

1972年東京都生まれ。

1996年武蔵野美術学園 版画研究科 修了。

「現在」起きている現象の根源を「過去」に探り、「未来」に垂れこむ暗雲を予兆させる黒い木版画を中心に制作する。一つの画面に様々なモチーフが盛り込まれ構成された木版画は漫画風でナンセンス、黒一色のみの単色でありながら濃淡を駆使するなど多彩な表現を試み、彫刻刀によるシャープな描線によってきわどいテーマを巧みに表現する。風間は作品のなかで、現代社会や歴史の直視しがたい現実が、時には滑稽でコミカルに見えてしまう場面を捉えようとしている。そこには作家自身が社会の当事者であるよりも、むしろ観察者でありたいという意識が反映されている。作品はフィクションの世界だが、制作に際しては古書研究をするなど独自のリサーチを徹底し、現実や歴史の黒い闇を彫りおこすことで、真実から嘘を抉り出し、嘘から真実を描き出す。

近年の個展

2020 「セメントセメタリー」無人島プロダクション（東京）

2019 「コンクリート組曲」黒部市美術館（富山）

2019 「東京計画2019 vol. 2 風間サチコ　バベル」gallery αM（東京）

2018 「予感の帝国」NADiff a/p/a/r/t（東京）

2018 「ディスリンピア2680」原爆の図丸木美術館（埼玉）

2016 「府中市美術館公開制作69 風間サチコ『たゆまぬぼくら』」府中市美術館（東京）

2016 「電撃‼ラッダイト学園」無人島プロダクション（東京）

主なグループ展

2019 「Co/Inspiration in Catastrophes」台北当代芸術館（台北）

2019 「Japan Unlimited」frei_raum Q21 exhibition space / Museum Quartier Wien（ウィーン）

2019 「開館15周年記念 現在地：未来の地図を描くために［1］」金沢21世紀美術館（石川）

2019 「第33回リュブリャナグラフィックアートビエンナーレ」
International Centre of Graphic Arts（リュブリャナ）

2018 「The Long Story」クイーンズランド州立美術館（ブリスベン）

2017 「ヨコハマトリエンナーレ2017 島と星座とガラパゴス」横浜美術館（神奈川）

2016 「あざみ野コンテンポラリー vol.7『悪い予感のかけらもないさ』」
横浜市民ギャラリーあざみ野（神奈川）

2016 「光州ビエンナーレ The Eighth Climate (What does art do?)」光州ビエンナーレホール（光州）

受賞歴

2020 「第30回（2019年度）タカシマヤ美術賞」

2019 「第1回 Tokyo Contemporary Art Award」

2016 「第8回 創造する伝統賞」

2006 「第9回 岡本太郎記念現代芸術大賞（TARO賞）」優秀賞

1994 「パルコ アーバナート #3 奨励賞」山本容子賞

1992 「パルコ GOMES マンガグランプリ '93」岡崎京子賞

Sachiko Kazama

Born in 1972, Tokyo, Japan.

1996 Department of Printmaking, Musashino Art School.

By using abundant color expressions between black and white, Kazama engraves social and political satire and nonsensical human acts sometimes comically and sometimes delicately on her woodcut print with a delightful sense of humor. Through enormous research on history, past and present events intersect and create a fictional story in her work.

Selected Solo Exhibitions

2020 *Cement Cemetery*, MUJIN-TO Production, Tokyo

2019 *Concrete Suite*, Kurobe City Art Museum, Toyama

2019 *Plans for Tokyo 2019 vol. 2 Sachiko Kazama: BABEL*, gallery αM, Tokyo

2018 *Empire of the Omen*, NADiff a/p/a/r/t, Tokyo

2018 *Dyslympia 2680*, Maruki Gallery For The Hiroshima Panels, Saitama

2016 *Fuchu Art Museum Open Studio Program 69: Sachiko Kazama 'Unflagging Us'*,
      Fuchu Art Museum, Tokyo

2016 *Blitz!! School of Luddite*, MUJIN-TO Production, Tokyo

Selected Group Exhibitions

2019 *Co/Inspiration in Catastrophes*, Museum of Contemporary Art, Taipei

2019 *Japan Unlimited*, frei_raum Q21 exhibition space/Museum Quartier Wien, Vienna

2019 *Where We Now Stand—In Order to Map the Future [1]*,
      21st Century Museum of Contemporary Art, Kanazawa

2019 *The 33rd Ljubljana Biennale of Graphic Arts*, International Centre of Graphic Arts, Ljubljana

2018 *The Long Story*, Queensland Art Gallery | Gallery of Modern Art, Brisbane

2017 *Yokohama Triennale - Islands, Constellations & Galapagos*, Yokohama Museum of Art, Kanagawa

2016 *Azamino Contemporary vol. 7 (Not a trace of doubt in my mind)*,
      Yokohama Civic Art Gallery Azamino, Kanagawa

2016 *11th Gwangju Biennale: The Eighth Climate (What does art do?)*,
      Gwangju Biennale Hall, Gwangju

Awards

2020 *The 30th Takashimaya Art Award*

2019 *Tokyo Contemporary Art Award*

2016 *The 8th 'Tradition créatricé' Art Award*

2006 Superior Prize, *The 9th Taro Okamoto Award for Contemporary Art*

1994 Yamamoto Yoko Prize, *PARCO Urban Art #3*

1992 Okazaki Kyoko Prize, *PARCO GOMES Manga Grand-Prix '93*

3

Urban Research Group

NEW
ADDRESS

NEW ADDRESS

ステートメント

　引っ越しというものに常々腹を立てている。去年の四月頃に引っ越しをしたのだが、そのときも一向に終わらない作業の数々を前に憔悴し、しかし、自分の生活のために必要に迫られ辟易としながら完了した。途中、前回の引っ越しも同じように苦しんでいることを思い出し、何故こんな苦行を繰り返してしまうのか、真剣に悩んでしまった。

　引っ越しは、人生に訪れる変化の瞬間、その隙間に現れる退屈で面倒な仕事だ。各々の過去の引っ越しを思い返して欲しいのだが、とても積極的な行いだったはずである。今の自分にとって理想的な物件をみつけ、具体的な手続きを終え、荷物の廃棄と梱包、そののち新居への運搬をする。その中での決断や作業の責任は自分にあり、そこに苦痛を感じることもある。

　しかし一歩引いて考えると、引っ越しの動機は自分の外側にある場合が多い。仕事、家族、被災など様々な事情が、多様な人生の上に存在する。そこから見える引っ越しは、自分でコントロールしきれない物事への、消極的な手段のようにも感じられないだろうか。わたし自身の責任を伴った自発的な選択でもあり、環境や立場が否応なく迫る行為でもある。そんな二重性をもった営みは、当たり前の話だが人口の多い東京にこそ溢れている。

　現在の東京という都市は東京一極集中と言われ続けているように人口流入が続いている。東京から他の道府県への流出数を見ても神奈川、埼玉、千葉が多く、やはり東京圏内（東京都、神奈川県、埼玉県、千葉県）での移動で、東京から離れていく人は少ないことが分かる。この人口流入は高度経済成長期から始まり途中沈静化を挟みつつ、「地方創生」が掲げられている現在も増え続けている。さらに言えば、都内で市区町村を超えて住居を移した人数は、何故か他の道府県から東京へ移ってきた人数に近く、東京ではそれだけ多くの「新居」が毎年存在していることになる。

　次の引っ越し先を考えたときに、都内ないしは東京圏を選ぶ人が多いことは先ほど述べたようなデータから予想できる。多くの人が、家賃も高く人と人との距離が異様に近いこの場所に、集まり、留まることを選ぶのは何故だろうか。おそらく、この疑問は当たり前すぎてつまらない現実に突き当たるだろう。その当たり前でつまらない現実を見つめることは、大きな「お祭り」が否応なく迫る今に必要なことだと感じている。

Urban Research Group

Artist Statement

I always find myself irritated when it comes to moving homes. I moved in April last year, and even then I was totally exhausted when confronted with the number of tasks that never seemed to end. That being said, despite being fed up with it all, I managed to complete this ordeal, as it had to be done for my own life's sake. Remembering along the way that I had suffered the very same experience during my previous move; I seriously contemplated why I repeatedly subject myself to this self-torture.

Moving is a boring and troublesome task that emerges in the gaps between the moments of change in one's life. I want each of you to look back on the past times that you moved homes. I assume that every time it was something that entailed great enthusiasm. First finding the property that is currently most ideal for you, completing the specific procedures, disposing and packing your belongings, and finally transporting them to your new home. You yourself are responsible for all the decisions and work involved during this process, which at time can be cause for much distress.

When you take a step back and think however, the reasons and motivations for moving often lie outside of you. Various circumstances exist within each of our diverse lives, such as work, family, and disasters. In this respect, perhaps moving is a passive means of responding to things that one cannot personally control. It is a voluntary decision that one is responsible for, and at the same time is inevitably instigated by the environment and situation we find ourselves in. It is needless to say that this dualistic act is indeed all too common in Tokyo with its great population.

With advanced urban functions being intensely concentrated in the capital, the city of Tokyo currently continues to experience a population influx. Even when looking at the number of people leaving Tokyo for other prefectures, it is evident that there are very few who move far away from Tokyo, with most choosing to settle in the Greater Tokyo Area (Tokyo, Kanagawa prefecture, Saitama prefecture, and Chiba prefecture). This population influx to Tokyo began during Japan's period of high economic growth, and while slightly calming down along the way, continues to increase today despite movements for local revitalization. Furthermore, the number of people who moved their place of residence from one municipality to another within Tokyo is somehow near the same number as those who moved to Tokyo from other prefectures. In other words, there are that many "new homes" that exist every year.

From the above mentioned data one can predict that many people, when thinking about where they'll move to next, will choose Tokyo or the Greater Tokyo Area. Why do many people chose to gather and stay here, in this place, where the rent is expensive and the distance between people is so bizarrely close? Perhaps this question is all too obvious that it would only lead us to confront a boring reality. I believe that it is necessary to consider this obvious and boring reality, especially now, in light of the large "festive event" that is approaching whether we like it or not.

Urban Research Group

武蔵小山 / Musashi-koyama

〒142-0662

東京都品川区小山
3丁目4 - 8

Tokyo, Shinagawa, Koyama,
3-chōme-4-8

滞在時間 stay time	インタビュー interview **07**		回答 answer **05**
PM 07:30 / PM 08:30 (1h00m)	███ ██ 👤👤		

2017 年乗降者数/1日 passengers in 2017/d	2017 年乗車数/1日 rides in 2017/d
53,186	**26,477**

（近々、引っ越される予定などはありますか。）

引っ越したいとは思いますけど、まだ探してはないです。

《NEW ADDRESS「半蔵門」》（映像［部分］）
「NEW ADDRESS "Hanzomon"」（video［detail］）

《NEW ADDRESS「半蔵門」》2019
'NEW ADDRESS "Hanzomon"』 2019

《NEW ADDRESS「祐天寺」》2019
'NEW ADDRESS "Yūtenji"' 2019

85

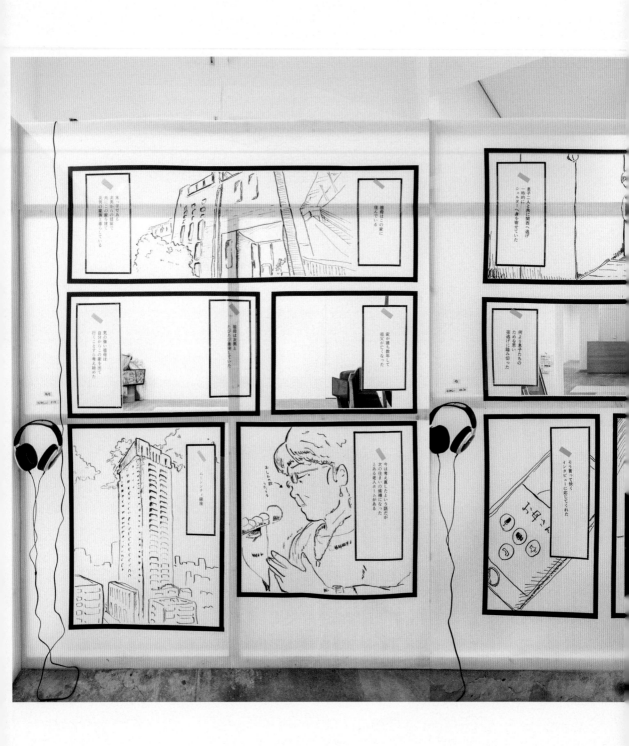

《 NEW ADDRESS 「祖母、母、姉」》 2019

《NEW ADDRESS「吉祥寺」》2019
'NEW ADDRESS "Kichijōji"' 2019

東京を離れる
不安もあったが

《 NEW ADDRESS 「広尾」》 2019
「NEW ADDRESS "Hiro-o"」 2019

《NEW ADDRESS「半蔵門」》2019
'NEW ADDRESS "Hanzomon"』2019

《NEW ADDRESS「祐天寺」》2019
「NEW ADDRESS "Yūtenji"」2019

91

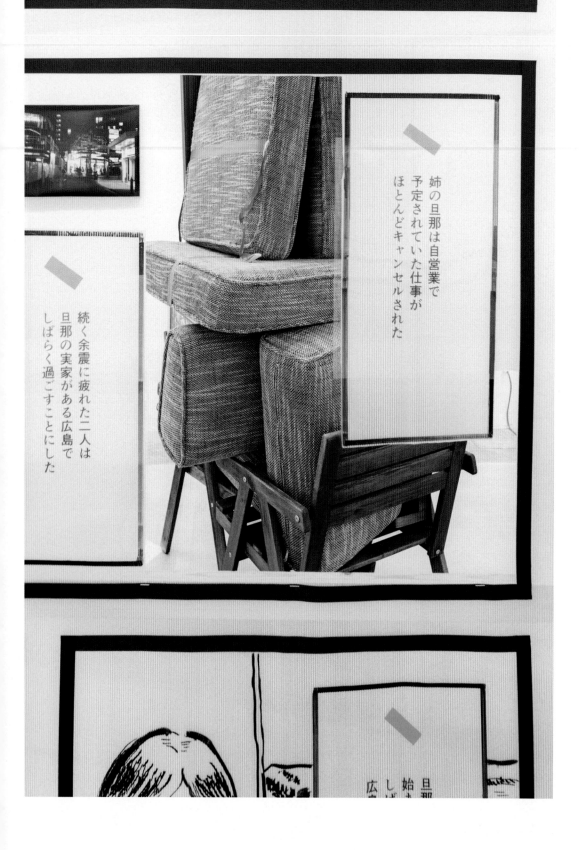

《NEW ADDRESS「武蔵小山」》2019
「NEW ADDRESS "Musashi-koyama"」2019

（イントロダクション）
（Introduction）

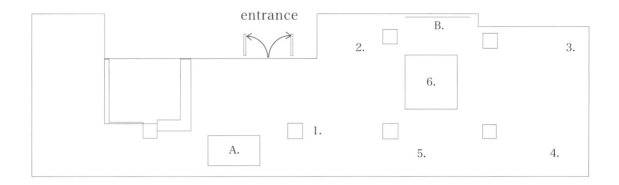

1. 《NEW ADDRESS「吉祥寺」》
2019｜家具、ディスプレイ、写真、映像 4 分 10 秒｜サイズ可変

2. 《NEW ADDRESS「広尾」》
2019｜家具、ディスプレイ、写真、映像 8 分 15 秒｜サイズ可変

3. 《NEW ADDRESS「半蔵門」》
2019｜家具、ディスプレイ、写真、映像 2 分 53 秒｜サイズ可変

4. 《NEW ADDRESS「祐天寺」》
2019｜家具、ディスプレイ、写真、映像 1 分 18 秒｜サイズ可変

5. 《NEW ADDRESS「武蔵小山」》
2019｜家具、ディスプレイ、写真、映像 2 分 59 秒｜サイズ可変

6. 《NEW ADDRESS「祖母、母、姉」》
2019｜プラスチック段ボール、マーカー、垂木、音声 15 分 58 秒、22 分 32 秒、13 分 58 秒

A.　イントロダクション
B.　アンケート

1. *NEW ADDRESS "Kichijōji"*
2019 furniture, display, photograph, video 4min. 10sec. dimensions variable

2. *NEW ADDRESS "Hiro-o"*
2019 furniture, display, photograph, video 8min. 15sec. dimensions variable

3. *NEW ADDRESS "Hanzomon"*
2019 furniture, display, photograph, video 2min. 53sec. dimensions variable

4. *NEW ADDRESS "Yūtenji"*
2019 furniture, display, photograph, video 1min. 18sec. dimensions variable

5. *NEW ADDRESS "Musashi-koyama"*
2019 furniture, display, photograph, video 2min. 59sec. dimensions variable

6. *NEW ADDRESS "Grandmother, Mother, Sister"*
2019 plastic cardboard, maker, rafter, voice data 15min. 58sec. , 22min. 32sec. , 13min. 58sec.

A.　Introduction
B.　Questionnaire

小さくも大きくもある物語 ―
URG論
藪前知子

　都市は新陳代謝する。高度経済成長期の日本の新進建築家たちは、変化していく都市の様相を、細胞が環境に適応しつつ秩序を作りながら増殖していくという、生物学モデルを使ってイメージした。それから60年、二度目のオリンピックを迎えようとする東京で、果たしてそのような美しいフラクタルが実現したのかといえば、私たちの目の前にあるのは、理想と現実がキメラ状に編まれたいびつな街である。律動的であったはずの都市の増殖に、何が抵抗として働いたのだろうか？

　「東京計画2019 vol. 3」は、既存の都市論のオルタナティブを志向する、不特定多数のアーティストによるコレクティブ、URGが展開する。この中でキュレーターの役割を果たしてきた石毛健太、垂水五滴の二人に、四谷未確認スタジオを主宰する黒坂祐を加えた三人で、今回は、自ら制作した作品を発表する。彼らの活動が最初に注目されたのは、2018年秋、石毛の生まれ育った品川区八潮団地の集会所にて開催された「変容する周辺　近郊、団地」展である。高度経済成長期の人口増加に対応すべく、東京湾岸を埋め立てて造成された団地群は、バブル崩壊や東日本大震災、高度情報化社会やグローバリゼーションなどの動きに晒され、時を経た現在、どのように変容しているのか。そこでは、都心に通勤・通学する核家族という住民モデルを想定して作られた郊外型団地の初期設定が崩れ、高齢化や移民の流入による住民構成の変化や、新たな文化の自生が可視化されていた。都市の片隅で、その現場に対する既存の認識に介入し、変化を与える彼らのリサーチという手法は、ストリートでの新たな実践の形と言えるだろう。

　かつての建築家たちのような鳥の視点ではなく、地面から都市の変化を記述する彼らの、今回のテーマは「引っ越し」である。「東京計画1960」が描いたようなネットワークの交通と異なり、現実の移動は、重力や摩擦を伴う面倒なものだ。それでも人はなぜ動くのか？　URGの問いが明らかにしていくのは、それぞれの人生が持つ、欲望や予期せぬ運命といった、既存の都市論では掬うことのできない動機である。

　本展の中心をなすのは、大きく二つに分けられるインタビューである。まず、東京の各地の路上で、URGによって「次に住みたいのはどこ？」と訪ねられた人たちの語り。「住みたい街」ランキングの常連として知られる吉祥寺からスタートし、次に住みたいと言われた街へと移動しつつ行われたこのリサーチは、身の丈の欲望や地域カーストの存在を明らかにしつつ、東京の街を、一面的な分析をすり抜けるような形の定まらない文脈で結びつけていく。インタビューとともに展示される造形物は、その地でURGが譲り受けた、「引っ越し」の際に出る粗大ゴミで作られている。それを借景としつつ、展示の中心に設えられたブースの中で、マンガと音声によって伝えられるのは、メンバーの一人、垂水の家族の語りである。祖母、母、姉という三代の女性の「引っ越し」の物語は、仕事や異性関係を含むライフイベント、震災といった、多岐にわたる、しかし誰もが経験しうる動機によって導かれる。ほとんどの「引っ越し」は、個人の意志や欲望だけではなく、経済、社会、自然環境など、複数の軸が交わった時に起こる（鑑賞者が外側の他者の物語を取り込んで風景を編集できるように、マンガの枠が部分的にくり抜かれているのはこの意味である）。ここで引きずり出されるのは、都市の隙間にある、小さくも大きくもある物語であり、「恋愛」「結婚」「誕生」「死」といった抽象的な概念に収斂される前の、過程としか言いようのない人生の一側面であり、さらには、能動性と受動性の中間にある人間の判断領域である。URGのメンバーは、ここから、「建設的な諦観」ともいうべき、現状肯定の可能性を見出したいと語る。奇しくもこの展覧会は、参議院選挙のさなかに準備された。若者の投票率の低下と世代間格差の関連が話題となった選挙戦だったが、投票活動も「引っ越し」も、現状を受け入れつつ未来に投機するという点で重なってくる。その先にあるのは、幸福とは何か、人はそれをどのように得られるのかという大きな問いなのかもしれない。ポスト・ロスト・ジェネレーションともいうべき彼らの活動は、まだ始まったばかりである。

Narratives Both Large and Small—
The Works of URG
Tomoko Yabumae

The city metabolizes. Emerging Japanese architects during the nation's period of high economic growth had envisioned the changing aspects of the city using a biological model, drawing inspiration from the way in which cells proliferate while simultaneously adapting to their environment and establishing a sense of order. 60 years later, we find ourselves questioning whether this beautiful fractal had indeed been realized in Tokyo that is about to host its second Olympic games, as what lies before our eyes is a distorted cityscape where ideals and reality are interwoven in a chimera-like manner. What served as a force of resistance against the growth of the city that should have developed in a measured and regulatory fashion?

Plans for TOKYO 2019 vol. 3 introduces the Urban Research Group (URG), a collective by an unspecified number of artists that aims to contemplate and propose alternatives to existing urban discourses. Presented on this occasion are works produced collaboratively by three artists: Kenta Ishige and Goteki Tarumi who have re-spectively served curatorial roles within the group, and Yu Kurosaka who presides over Yotsuya Unconfirmed Studio. The activities of the group first gained attention in the fall of 2018, with their exhibition *Transforming Surroundings: Suburbs, Apartment Complex* that was held in Shinagawa Yashio Park Town where Ishige was born and raised. The apartment complexes that were the subject of the exhibition had originally been built upon reclaimed land across the Tokyo Bay in order to respond to the rapid population growth during Japan's period of high economic growth. Now, having since experienced the collapse of the economic bubble and the Great East Japan Earthquake, with shifts towards a highly advanced information society and globalization, how have they in fact changed? The exhibition served to visualize how the initial setting of this suburb-type apartment complex, which had been based on a resident model of a nuclear family commuting to and from school/work in the city, was by now no longer relevant. What was highlighted, were changes in resident structures and the emergence of new cultures that had been brought on as a result of the aging population and influx of people from other regions. Their research-based approach that enables them to intervene and introduce change to existing perceptions on various aspects of the city can be described as a new form of practice that takes place in its very streets.

The theme for this occasion devised by URG, who studies and documents the changes within the city from ground-level rather than from a commanding perspective like architects of the past, is "moving homes." Unlike the traffic and transportation networks outlined in "A Plan for Tokyo 1960," moving in real life is a cumbersome process that entails both gravity and friction. Why then, do people still move? What URG's question essentially reveals are motives that cannot be discerned through existing urban discourse, such as the various desires and unexpected turns of fate in each individual's life.

This exhibition centers on interviews that can be largely divided into two parts. The first are responses to the question "where would you like to live next?" which URG had asked while interviewing people in the various streets of Tokyo. Starting in Kichijoji, which often ranks among the "top most sought out towns to live in Tokyo," and then moving onto the next town the interviewees wished to live in and so forth, their research, while bringing to light expectations that are realistically within one's means as well as the presences of regional cast systems, had served to connect the city of Tokyo through an unstructured context that appears to slip through any means of one-sided analysis. The sculpted objects presented along with the interviews are made using large articles that had been discarded when people "moved homes," all of which URG had acquired on-site in the respective locations. Drawing from this concept, what is presented in a booth installed in the center of the exhibit are a series of narratives by Tarumi's family conveyed through cartoons and audio. The stories of "moving homes" told through three generations of women –Tarumi's grandmother, mother, and sister– are each guided by life events including work, relationships, natural disasters and so on, which despite all being diverse, are motives that anyone can experience. Most cases of "moving homes" is not only driven by an individual's intentions and desires, but occurs when multiple factors such as economy, society, and the natural environment intersect (it is for this reason that the frames of the cartoons have been partially cut out, enabling the viewer to edit the scenes by incorporating the narratives of others on the outside). Unearthed here are both the large and small narratives that exist in the gaps within cities –aspects of life that can only be described as the process before converging into abstract concepts such as "love," "marriage," "birth," "death" also presenting the realm of human judgment that lies between activity and passivity. The members of URG have expressed their desire to use this as a starting point for seeking possibilities of affirming the status quo, or in other words, to find a means of "constructive resignation." By a curious coincidence, preparations for this exhibition had taken place during Japan's Upper House election. The relationship between the decline in the voting rate of youths and intergenerational equity had been a key issue in the past election, and likewise to voting, "moving homes" is also significant in terms of speculating the future while accepting one's current circumstances. What lies beyond this is perhaps the much larger question of what defines happiness, and what it is we can do to attain it. The activities of URG, who indeed can be considered as the "post-lost generation," have only just begun.

Urban Research Group × 藪前知子
２０１９年７月２７日（土）１８時〜

藪前｜「東京計画2019」第3回目は、Urban Research Group による、「NEW ADDRESS」展です。去年から活動を本格化させたグループですが、まずは活動を始めた経緯からお話しいただけますか。

石毛｜去年、僕の出身地でもある品川区の八潮団地の集会所で展覧会「変容する周辺　近郊、団地」（八潮団地、2018）を企画したのが Urban Research Group（以下 URG）の始まりです。当時、地域アートに対して個人的にわだかまる部分があったので、出身地で展覧会をやったら面白いのではないかと思い、企画しました。

藪前｜わだかまりとは、地域の外から来たアーティストによってその土地が批評されることに対する違和感でしょうか。

石毛｜それもありますが、今のアートシーンで多く見られるような、歴史のある場所を掘り起こしてサイト・スペシフィックに展開させていく試みではなく、歴史も文脈もないような新興住宅地の場所で何かやりたいと思ったんです。

藪前｜今ある地域アートの素材に最もなりにくい場所で、自分の育った場所でもあると。

石毛｜そうですね。そのときの運営は僕一人で、垂水くんは参加アーティストの一人でした。

垂水｜僕はそれまで個人でアーティスト活動をしていた訳ではなかったのですが、石毛くんとは学部時代から仲が良く、僕自身も江戸川区の団地出身で、団地にまつわる話をよくしていたこともあり、声をかけてくれて参加したのが始まりです。

藪前｜「変容する周辺　近郊、団地」展は話題になり、ウェブ版美術手帖で2018年展覧会ベストに選んだ人もいましたね。私は実際の八潮団地では見ることができず、その後に CINRA.NET が多摩ニュータウンで開催した「NEW TOWN2018」のなかの「SURVIBIA!!」という展覧会で再構成されたものを見て、面白いグループがいるのだなと思いました。そのときはキュレーターという役割でしたが、そのように活動を始めたことや、「リサーチグループ」という曖昧な名前で出発しているの

は何かモデルがあるのでしょうか？

石毛｜モデルで言ったら、よくお手伝いしている先輩の SIDE CORE がかなり近いと思います。

藪前｜SIDE CORE という、ストリート・アートをコンテンポラリー・アートにつなげようというグループですね。彼らもグループとして特徴的なあり方で、SIDE CORE の展覧会シリーズを企画し、自分たちで作品を作るときは違う名義になるのですよね。

石毛｜コアメンバーが3人いて、その周りにほかの作家がいるような大きなコレクティブで、作品を作るときは EVERYDAY HOLIDAY SQUAD という名義になるのですが、その活動を近くで見ていたのはあると思います。
　僕自身は普段は一人のアーティストとしても活動していますが、団地展のときは初めての企画で、一人では手が回らず、キュレーションに専念せざるをえなかったんですよね。次に企画した高橋臨太郎という作家の個展「スケールヒア」（BLOCK HOUSE、2019）のときに、垂水くんに本格的にコアメンバーとして入ってもらったのですが、そのときも作家の個展だったので自然とキュレーションというかたちに。たまたま、初回と第2回がキュレーションというように重なったんです。

藪前｜今回はキュレーターの私がいることもあり作家として展示していただきましたが、URG のアイデンティティはどのようなところにあるのでしょう。都市論の再考をテーマに、と書かれていましたが。

石毛｜やはり初回の展覧会でも触れた「近郊」をテーマに扱うということ。社会学でカルチュラル・スタディーズや都市論が流行った90年代の論文をあさると、郊外の均質化を「どこも一緒だよ」と、一刀両断するような論調が強いんだけど、「本当にそんな悲しいことがあるのか。俺の地元はそんなはずない」と、そのときの郊外論を、反省してもらいたい、俺はこう見せたい、というところから始まっているので、都市と言いつつ郊外論から端を発しています。

藪前｜石毛さんは94年生まれということですが、郊外論が盛んに議論され始めたのが95年前後ですね。その頃ですと、岡崎京子の『リバーズ・エッ

ジ』が94年に刊行され、その3年後に「酒鬼薔薇事件（神戸連続児童殺傷事件）」が起きたような時期ですが、生まれたときからその「均質化された風景」がデフォルトだった世代ということですね。

八潮団地での展覧会は、私たちが想像していなかった新しい文化が生まれているという一つのレポートであり、マニフェストとしても興味深かったです。

石毛｜展覧会の主な二軸は、全部同じようにコピー＆ペーストしたような風景が広がっていると言われている郊外で、実は、団地の家賃が安いという理由で外国人労働者の人たちが移住してきて都心にはない多国籍化が起きていることと、局所的に起きる少子高齢化です。郊外論が無視したことが、20年以上経って知らない間にこんな文化が生まれていると、隙を突いていくように展覧会を構成しました。

藪前｜団地にはさまざまな国籍の方が住んでいるということで、各家庭のカレーに焦点を当てた作品もありましたね。

石毛｜EVERYDAY HOLIDAY SQUAD の《curry life》という作品ですね。カレーはすごく多国籍な料理で、スタイル一つで地域性が見えてきます。小学生のときに団地に住んでいたパキスタン系の友達の家でほうれん草のサグカレーを食べて美味しかったという話をEVERYDAY HOLIDAY SQUAD にしたら、「小学生でサグカレーって早いね」と驚かれて。団地でカレーのレシピを集めたら多国籍化の現状が見えてくるのでは、と集めてみたら10種類くらい集まりました。

藪前｜垂水さんも団地で育ったそうですが、URGの目的はシェアされているのですか？

垂水｜そうですね。僕と石毛は大学時代から仲が良くて、団地についても話をしていたし、その空気や温度みたいなものは共有していると思います。今回の展示のコンセプト「引っ越し」は僕が考えましたが、僕自身も彼の考え方に影響を受けながら、という感じです。

藪前｜今回の展示から3人目の黒坂祐さんが加わりましたが、黒坂さんはいかがですか。ペインターとしても活躍されながら、1年前から銭湯をリノベーションした「四谷未確認スタジオ」というシェアスタジオ、ギャラリー、サロンを兼ねたスペースを主宰されています。ともに活動することになった経緯をお聞かせください。

黒坂｜もともと石毛くんとは1年くらい前に知り合ったのですが、二人が東京の団地育ちのところ、僕は千葉北西部の東京まで30分くらいのベッドタウン生まれで、マンションに住んでいました。僕は作品としてはパフォーマンスもやるので「パフォーマンス」と「絵」と「場所」みたいに3本の軸があるのですが、昔、実家の観葉植物を使った作品を作ったことがあり、石毛くんも観葉植物をモチーフにした作品を作っていたので、一つのモチーフへの共感をきっかけに、ベッドタウンと団地のつながりについていろいろと話していたんです。作品の温度感に共感するところはあるけど、都市との距離感が少しだけ違う。一緒にやってみたら面白そうだなと。

石毛｜そういうつながりもあったし、展覧会の準備をしているときに黒坂くんが引っ越しにすごく悩んでいたので、一緒にやらないかと声をかけました（笑）。

黒坂｜ちょうど僕が千葉から新宿区に引っ越して、騒音や都会にやきもきしながら不眠症で病院に通っている様子を石毛が見ていて。引っ越しはリアルな問題と感じていたので「やる」と即答しました。

藪前｜今回の展示のテーマはさまざまなアイデアが出たなかで最終的に引っ越しに決まりましたが、作品の解説とともにその経緯をお聞かせください。

垂水｜もともとは石毛が「変容する周辺　近郊、団地」を延長するかたちで、ニュータウンに墓が構想として組み込まれていないことから「お墓や死について考えたい」と言っていたのですが、僕らには手に余るというか、慎重にもなるだろうし、正直なところ僕はちょっと自信がないと思いました。

僕はラジオをよく聞くんですけど、TBSラジオの「文化系トークラジオ Life」で、引っ越しや、どこに住むかをテーマにした回を聞いたときに、「引っ越し」は誰にでもある話だし、広げれば「死」や「生」の話も包括でき、僕らにも扱いやすい地に足のついたテーマなのではと思い、提案しました。初めは「わかんないな……」という反応だったのですが、話しているうちにテーマとして固まっていきました。

藪前｜私も最初に「死」というテーマで、ニュータウンや今の共同体のなかで隠蔽され、プログラムされていないものを掬い出す点で、強い作品になるだろうと楽しみにしていたのですが、引っ越しになったと。初めはぼんやりしたなと思ったのですけれども、今思えば、このなんとも言えない曖昧な領域を探ろうとする態度に届くテーマと

して「引っ越し」は最もふさわしかったと思いま
す。「死」にしていたらズレていたかもしれない。

石毛｜壮大な話になっていたかもしれないですね。

垂水｜僕自身は引っ越しの作業がすごく苦痛なんですけ
ど、状況とか立場に強いられて引っ越ししなきゃいけな
いことってありますよね。引っ越しが興味深いのは、
あんなに辛いのに、作業を行う自分はものすごく積極的
に引っ越しに向かわなきゃいけないこと。その理不尽さ
に、二重性があるんじゃないかと思ったんです。

薮前｜展示を構成する大きな要素として、外側に
展示されている立体物や街頭インタビューの映像
と、中央の小屋でのご家族へのインタビュー音声
とそれをもとに描かれた漫画という二つに分けら
れると思いますが、具体的にどのように作品に展
開したのでしょうか。

石毛｜明確な担当分けはないですが、外側の立体と映像
は僕と黒坂くんがメインで、中央の小屋は垂水くんが担
当しています。
　外側の要素は、まず「住みたい街」の代名詞の吉祥寺
をスタートに、街頭で「この街以外で次に住みたい街は
ありますか?」とインタビューし、答えてもらった場所
へ僕らが実際に行くというのを繰り返しました。立体
は、不要になった家具をそれらの街でインタビューした
人から譲ってもらったり、リサイクルショップで購入し
たり、いろんな方法で集めて作ったもので、彫刻のよう
でもあり、テレビ台としての機能もあるオブジェになっ
ています。そのなかにディスプレイを組み込むかたち
で、実際に通った道をGoogleのストリートビューで辿
る映像にインタビューの音声を重ねたものが今モニター
に流れています。

垂水｜家具はそれだけで人の生活や物語を連想させるの
で、要らなくなった家具を集めて一つのオブジェを構成
することで、その街からいなくなった人たちをイメージ
させることができると思ったんです。それを引っ越しと
いうテーマで見せたいなと。

黒坂｜その街の肖像みたいなイメージを作りたいという
のがもともとのアイデア。映像にするというのが最初か
ら展示プランにあったので、それぞれの街で集めた物
を、映像のディスプレイを組み込む什器として使った
ら、すごく自然なものになると思ったんです。

薮前｜打ち合わせでインタビューの結果を伺った
ときの最初の感想としては、あまり治安が良く

ない場所や、住民が自分たちの街に不満を抱いて
いるところからスタートすれば、地域カーストが
あらわになり面白いのではないかと思ったのです
が、このインタビューは住みたい街の代名詞から
始まっている。もう動きたい人なんていないので
は、という想定もありましたが、人の欲望は果て
がなく、地域カーストのようなわかりやすい線で
はなく、分析しづらい曖昧なラインや地図が見え
てきて面白いと思いました。

石毛｜そうですね。吉祥寺から始まり、広尾、半蔵
門、祐天寺、武蔵小山という結果になりましたが、実際
に、広尾や半蔵門あたりで限界がきました。どうしよう
と思っていたら、たまたま小学生の電車が好きな男の子
がいて、「東急線が好きだから祐天寺」という渋めの回
答をもらい、次に進むことができました。

黒坂｜吉祥寺からスタートすることも含めて、URGの
指向性として、キャッチーな「取れ高」を期待しない
というのがあります。最初のキーワードとして「薄い
話」というのを共有したのですが、「面白くしたくない
欲」がある。もっとインタビューできるところもあった
のだろうけど、面白いところに行ったら簡単に面白く
なってしまうから、それをしないという選択をした結果
かなと思いました。

薮前｜「薄い話」というのは、印象的な言葉です
ね。最終的にテーマが「死」ではなく「引っ越
し」となったことにも通ずるものがあるように思
います。

黒坂｜だいぶ薄まっていますよね。

石毛｜ある人と、きゅうりが美味いって話を30分くら
いしたことがあるのですが、「和風にもいけるし中華に
もいけるし美味い」みたいな話は全然良い話にもならな
いし、どこまでいっても「きゅうり美味い」で終わるけ
ど、何周もその話をしてしまって、それが楽しかったり
する。

薮前｜わかりやすい例えですね。ただ、その周り
の薄いレイヤーに対して、展示室の中心の小屋で
は、薄くない「濃い話」があるように思います。

垂水｜展示室の真ん中の小屋では、僕の家族である祖母
と母と姉へのすごく個人的なインタビューと、それをも
とに描いた漫画があります。

石毛｜小屋に対して、外側はすごく表層的。「住みたい

街といったら吉祥寺」からスタートして、不特定多数の人にインタビューしていくので、答える側も深い理由は言わない。「昔働いていたから広尾かな」みたいな感じで、住みたい街をぺらぺら撫でるように移動するのですが、垂水くんの家族の話は引っ越しの理由が重い。濃い話。

垂水｜「そういえば僕の家族、引っ越しの理由重いな」と後から気づいたんです。家族から聞いた話を作品にすることに対して、不安もありましたが、3人とも「全然いいよ」と快くインタビューを受けてくれました。

引っ越しの話をするときに個人的に押さえておきたかったのが東日本大震災の話なのですが、僕の姉は妊娠中だったこともあり当時のことをよく覚えていました。原発事故が起こり、姉はすぐに東京から旦那さんの地元の広島に逃げたのですが、僕も東京にいたので、逃げられるなら逃げたかったのを覚えています。逃げたくても逃げることができないというのは、引っ越したくても引っ越せないという話にも通じるので、その話を絶対にするべきだというのがまずありました。

それと、僕の祖母と母の話も、個人的に面白い……と言うと不謹慎かもしれないですけど、二人の話はある意味では僕自身の話でもあるので、姉に加えて祖母と母にもインタビューすることにしました。

石毛｜中央の小屋ではプライベートな話が展開していて、それに窓を開けることで外側の風景が漫画のコマに登場して重ねられる。外側にある匿名のインタビューと集積物に、プライベートな引っ越しの話を重ねて見ることによって、引っ越しという行いをさまざまな角度から見えるようにするのが垂水くんの狙いです。

垂水｜そもそも漫画というもの自体が、ものすごく読ませる力が強いじゃないですか。いろいろな前提をみんなが共有しているからというのもあると思いますが、あれだけ影響があるのは、時代的なものとか、何か理由があると思います。軽薄だったり、物事を単純化しすぎじゃないか、というのもたくさんありますけど、だからこそ人々の心に届いてしまうというのは無視できないと思います。

それに、引っ越しは誰もが経験するもので、それぞれの物語を持っている。僕の家族の引っ越し話を漫画で読んで、そこから窓のように開いているコマからいろんな家具が見えたとしても、自分に引きつけた物語を自分のなかで構築してしまうと思うんです。それが、他人の話でもあり、自分の話でもある状態になってほしい。

ちょっと壮大な話かもしれないですが、ちょうど展示の準備期間中に選挙がありました。僕は投票に行かな

かった人に「なんで行かないんだよ」と思ってしまうのですが、それぞれ考えや事情があるかもしれないけど、そもそも選挙がなかったらそうやって人に腹を立てることもなかったと思うんです。幼稚な考えかもしれないけど、個人的な感覚として、今はそういう無意味な対立が多すぎる気がします。

他人の話を自分の話のように思えるとき、そんなに簡単に腹を立てられないと思うんですよね。そういうことを考えながら、知らない人にインタビューした会話の音声と、自分の家族の話の漫画を展示室に置いて、コマに窓を開けました。鑑賞者が自分に引きつけて構築する別の物語ができることをイメージしたんです。

薮前｜芸術はまさにそのように状況を代入して他人の物語を共有するためにあるとも言えるので、今回の選挙戦と展示の準備期間が重なったこともあり、私もテキストに「投票活動も『引っ越し』も、現状を受け入れつつ未来に投機するという点で重なってくる」と書かせていただきました。

「東京計画2019」では、オリンピック以降のヴィジョンを示したいというキュレーションの狙いがありますが、私としては、皆さんのように世代的に私よりも20歳くらい若く、生まれたときからロストジェネレーションの状況が起きている世代にとって、現実の肯定とはどういうことだろうかという興味がありました。皆さんのリサーチもある種の現状肯定の一つの手段かもしれないですが、それをアートとして提示するときに、アートが現実に対してどのようにエフェクトし、アクションできるかという問題について、どのように考えていらっしゃるか、今後の活動の方向も含めてお聞かせください。

黒坂｜僕は新参者なので、ある程度客観的に言えると思うのですが、オリンピックのようなセレモニーに向かって人々が動くときに危険だと思うのは、さっきの垂水くんの「なんで選挙行かないんだよ」という話のように、「何も考えていない」とされる人たちがその動きに回収されていくことに対して、怒りがどんどん溜まり、無意味な対立が起きること。

「薄い話」もそうですが、誰もが代入可能な物語と個人的な物語を往復して透かして見ることは、単純に、ノンポリで投票してない人たちが「この世界に対して自分がいる」「発言権を持っている」と思える状況や、「発表している側と鑑賞している側がそんなに変わらない」と言いやすい状況が作れるのかなと思います。

薮前さんが「建設的な諦観」という言葉を書いてくださいましたが、URGという一つのグループの活動だけでは微力かもしれないですけど、アートとしてこういう

活動がされるということは、数パーセントでも、「自分も選挙権があったな」と思い出させる可能性があると思います。

藪前｜自分も当事者として状況にコミットする可能性がある、と伝わるということですね。

黒坂｜そうですね。誰もが当事者であるにもかかわらず当事者意識がないというのは、そもそも選択肢がないと感じているからで、当事者であることが少しでもわかれば、「あそこに自分は参加していいんだ」という自信や認識が生まれると思います。

垂水｜「建設的な諦観」というのは打ち合わせのときの僕の言葉を拾い上げて書いてくださったのだと思いますが、僕個人の今の日本や世界への見方はものすごくネガティブで、直近の希望はだいぶ厳しいと思っています。「日本は良くなるから選挙に行こう」と言うのもわかるのですが、すぐには良くならないし、我慢や冷静さが必要だと思います。そういうときに、ある種の冷静さとして「薄味な態度」というものを保っていきたい。

藪前｜ある種のサバイバルのための作法みたいな感じでしょうか。石毛さんはいかがですか？

石毛｜よく垂水くんとはラジオなり動画配信なり、メディアをやりたいと話しています。展覧会や作品を制作するという方法もメディアですけど、もっと複合的にしていきたい。別に、美術に依存する必要はないとか、美術をやる必要がないという話では全くなくて、美術もやりながらいろんな方法で薄味な話をしていけたらなと思います。

藪前｜そういう思考の領域をつないでいきたいという感じでしょうか。

石毛｜そうですね。ブログでもいいし、そういうプラットフォームみたいなものを作れたら楽しいのかなと。それが波及力のあるものになるのかはわからないですけど。みんながこんな感じになっちゃったら大変だし、そうなってほしくない（笑）。

藪前｜ありがとうございました。あっという間に時間になってしまいましたので、もし会場でご質問や感想がありましたら、冨井先生お願いします。

冨井｜お話ありがとうございました。僕も藪前さんと同じ世代の作家です。当たり前でつまらない

部分のことを「薄味」と表現されたのだと思いますが、表現という意味では大味にするほうが楽なので、そうではない道を選んでいて、とてもタフで頼もしいと思いました。

それと、団地の展覧会の話を聞いて、戸谷成雄という彫刻家を思い出しました。彼は今年71歳になるけれど、47、8歳くらいのときに、いつか展覧会として団地を使ったインスタレーションをしたいと話していました。でもそれは、戦後に対してのある種の批評的な眼差しで見た団地であって、皆さんが考えている団地とは違うパースペクティヴだと思います。僕はその頃あなたたちくらいの年齢で、戦後や戦前に対しての批評として団地を扱ってもあまり意味がないように聞こえていたのですが、今日お話を伺って、今は団地という問題をちゃんと批評できる時期にきていて、実際にやれているのだなと思いました。

あともう一つ。この展示を見てクルト・シュヴィッタースという作家を思い出しました。「メルツバウ」という、部屋をインスタレーション化する作品のシリーズがあるのですが、彼は戦争で亡命せざるをえなくなり、さまざまな場所へ移動しながら、各地でこの作品を作っていたんです。つまりそれは、真ん中のご家族へのインタビューでも語られる「そうせざるをえない引っ越し」と同じだと思います。たぶん皆さんが見るパースペクティヴとしては3.11以降のことだと思うし、それは当事者として事実だと思うけれど、美術を介して戦前や関東大震災の頃の引っ越しまで想像上の当事者になれるような気がして、とても良いと思いました。

藪前｜ありがとうございます。この造形物は、粗大ゴミが出るときにゴミ集積所に現れる、ある種のトマソン的な彫刻を模して作っているともおっしゃっていましたよね。

石毛｜そうですね。日本は狭いから路肩に物を広げられないので、寄せて積み上げるのですが、それがかっこいいなと。偶然発生したような、美意識が介在しない立体みたいなものを考えながら組んでいました。

黒坂｜団地や工場について本を書いている大山顕さんが、ああいったものを愛でているなかで「ままならなさ」の美学を語っていて、それは戦前戦後の団地と違った受け取り方として僕はすごくリアリティーを感じました。マンションのゴミ捨て場からどうしてもはみ出ちゃうのだけど、ぎりぎり使っていない区画に寄せて置いておくといった「ままならなさ」を造形として僕たちは素

直に受け取れるのかなと思います。

石毛｜僕は立体として作りたくて、黒坂くんは状況を再現しようとしていて、展示のときにバトルが発生したのですが、どちらも取り入れるための打開策として「みんなゴミを広げないように床面積を気にして積み上げるから、俺らも床面積をなるべく小さくして高く積む」というルールをつくりました。僕のもくろみとしては、立体が連なっていくとそれ自体が建築にも見えるし、その集合体として都市にも見えたら楽しいと思っていたので、かさが出てよかったです。

黒坂｜彫刻として作ると、この造形物だけ濃くなってしまう可能性がある。僕は展示の設えも、絶対に濃くしたくなくて……。

石毛｜僕、「薄い話」とか言いながらも、最初に「死」をテーマに持ってきたり、嚙み砕いてある種のポピュリスティックな展開にしがちで、すぐそっちに手をつけようとする。それを黒坂くんとかが手綱を引いて、そっちじゃない！と。

藪前｜でも本当に薄い話だけじゃ成立しなくて、冨井さんがおっしゃったような、戦争や震災という大きい物語と個人の小さい物語の接点や対照も必要なのだと思います。今回はそれがとてもうまく引き出されたテーマだと思いますので、今後もリサーチを続けていただきたいと思います。「引っ越し調査」をギャラリー内でもしていますけれど、死は誰も経験したことがないけれど引っ越しはみんな経験したことがあるから、喋りたくなるのですよね。他人の言葉を引き出す大きなファクターということで、ぜひ来場者の皆さんもこの後アンケートにお答えいただきたいなと思います。

石毛｜松本弦人さんがデザインした「東京計画2019」のメインビジュアルのカクカクした東京都のマップを拡大して、そこに「あなたの住みたい街のアンケート」を貼れるようにしたので参加してもらえたら嬉しいです。

藪前｜今日はありがとうございました。

Urban Research Group

アーティスト、インディペンデント・キュレーターとして活動する石毛健太とweb
エンジニア、アーティストとして活動する垂水五滴によるアートコレクティブ。2019
年から四谷未確認スタジオ主宰のアーティストである黒坂祐が参加し3名となった。
「都市論の再考」をテーマに様々なメディアによって現代の都市の姿を捉える試み
を発表、キュレーションしている。主なキュレーションに「変容する周辺　近郊、団
地」（八潮団地／東京、2018）、「スケールヒア」（BLOCK HOUSE／東京、2018）。

個展
2019　「東京計画2019 vol. 3 Urban Research Group　NEW ADDRESS」
　　　　gallery αM（東京）

キュレーション
2018　「スケールヒア」BLOCK HOUSE（東京）
2018　「変容する周辺　近郊、団地」八潮団地（東京）／NEWTOWN 2018、
　　　　デジタルハリウッド大学八王子制作スタジオ（「SURVIBIA!!」展内での再現展示）（東京）

Urban Research Group

Urban Research Group (URG) is an art collective by Kenta Ishige, an artist and
independent curator, and Goteki Tarumi, a web engineer and artist. In 2019,
Yu Kurosaka, an artist presiding over Yotsuya Unconfirmed Studio joined as
the third member. They have presented and curated attempts to capture the
appearance of modern cities through various media based on the theme of
"rethinking urban theory." Major curations include, *Transforming Surroundings:
Suburbs, Apartment complex* (Yashio housing complex / Tokyo, 2018), *Scale Here*
(BLOCK HOUSE / Tokyo, 2019).

SOLO EXHIBITION
2019　*Plans for TOKYO 2019 vol. 3 Urban Research Group: NEW ADDRESS*,
　　　　gallery αM, Tokyo

CURATION
2019　*Scale Here*, BLOCK HOUSE, Tokyo
2018　*Transforming Surroundings: Suburbs, Apartment complex*,
　　　　Yashio housing complex, Tokyo / *NEWTOWN 2018*, Digital Hollywood University
　　　　Hachioji Production Studio (Reproduction display at *SURVIBIA!!)* Tokyo

4

コ　　ミ
コ　＋　ル
ナ　　ク
ッ　　倉
ツ　　庫

miruku souko
+The Coconuts

```
t        s
o        c
n        r
g        a
u        t
e        c
t        h
a
b
l
e
```

scratch tonguetable

ステートメント

「料理術は諸技術の中でもっとも古い。まったく、アダムは空腹で生まれ出たのであるし、新生児はこの世に出てくるや呱々の声をあげ、母の乳房をあてがわれるまでは泣きやまないのである。」——ブリア＝サヴァラン『美味礼賛』[註1]

革命と恐怖政治、そして帝政から王政復古へと混迷を極めた18世紀末から19世紀初頭のフランスにおいて「空想的社会主義者」であるシャルル・フーリエは、外部のいかなる支配もうけない理想都市「ファランジュ」を考案した。
この都市は、田園地帯という生産拠点と、倉庫や家畜小屋、大作業場など、様々な施設群からなり、その中心には建物だけでも自律しうる集住機能と公共機能をあわせ持つ「ファランステール」が配され、これが後に「計画都市」として、コルビュジエの「ユニテ・ダビタシオン」を生む素地ともなった。

もっともフーリエは、場当たり的でバランスを欠く自然発生的都市に対するカウンターとしての計画都市——たとえば、効率的な労働力の集約、統制された流通機構などを求め、この都市を設計したのではない。それは「情念」という、重力と同じように人類が抗うことのできない、だからこそ、文化的に操作されるべきマターに基づく都市を設計する、という命題からであった。

「民衆の友を自称する今日の歴史家たちが本性というものをきちんと研究していたならば、彼らは、民衆の一番求めている味が美味しい料理のそれにほかならないということを、そしてまた、民衆を幸せにするには、民衆に何よりもまず美味しい料理を与えなければならないということを、確認することになったであろう。しかし、どのような手段によって民衆に美味しい料理を享受させ得るのか。」——シャルル・フーリエ『えせ産業』[註2]

（再生産からの）性愛の解放を謳い、女性の権利の尊重を唱え「フェミニズム」という語を発明したフーリエは、それと同等に（あるいは都市生活においてはそれ以上に）、生殖よりも切迫した欲求である「食」という情念を、いかように料理するかを考えるのだった。

そもそも料理とは、生ものを自然的変形（腐敗）ではなく、文化的変形によって我々が吸収しやすく、そして何より味覚という感覚情念を満たすよう操作されたものである。都市が、水や蒸気、空気や火、あるいは重力という自然的マターの文化的変形による高度な構築物ならば、いうまでもなく料理も、こうした事象を操作し繊細に構築した物である。
とはいえ、料理は単なる「都市のアナロジー」ではない。

フーリエの示唆に倣えば、都市を支える真の基盤は、はりめぐらされた環状道路や送電線、地下鉄や上下水道といったインフラにあるのではない。たとえば上下水道の存在は料理にこそ担保されるのだ。
なぜなら上水は、食という情念の結晶である「料理」によって我々の身体を通過し、下水へと折り返される。これこそが上下に隔たった水道の結節点であり、都市インフラをも支える基盤なのである。

だとすれば、この料理という技術を駆使することで、ありえた都市を空想することはできまいか？　あるいは、これから出会う都市を、創造することが出来はしないだろうか？

2019.09.01

ミルク倉庫＋ココナッツ

[註1] ジャン・アンテルム・ブリア＝サヴァラン『美味礼賛』関根秀雄・戸部松実訳、岩波書店、1967年。
[註2] 廣瀬純『美味しい料理の哲学』（河出書房新社、2005年）より、以下のテクストの著者による翻訳からの引用。
Charles Fourier, La fausse industrie, morcelée, répugnante, mensongère, et l'antidote, l'industrie naturelle, combinée, attrayante, véridique, donnant quadruple produit, tome I, 1835-1836, cité dans René Schérer, Charles Fourier ou la Contestation globale, Seghers, Paris, 1970.

Artist Statement

"Cooking is the oldest of all arts: Adam was born hungry, and every new child, almost before he is actually in the world, utters cries which only his wet nurse's breast can quiet."
–Jean Anthelme Brillat-Savarin, *The Physiology of Taste: or Meditations on Transcendental Gastronomy*[1]

From the end of the 18th century to early 19th century, France had found itself in the midst of great chaos and disarray starting with the Reign of Terror during the Revolution, followed by the restoration of the monarchy after the fall of the French Empire. It was during this time that utopian socialist Charles Fourier had advocated the concept of "phalanges" (phalanxes): ideal self-contained cities (communities) that were devoid of any external control or intervention. These cities consisted of a rural area that served as a base for production, as well as a series of facilities including warehouses, livestock sheds, and large workshop spaces for various labor activities. Situated in the center was a 'phalanstère,' a building integrating both residences and public features that could function autonomously. As a "planned city," this is what later became the base for Le Corbusier's modernist housing principle, "Unité d'habitation."

Fourier however did not design this planned city as a counter against spontaneously generated communities that are ad hoc and lack balance. The motives for devising this concept furthermore, had neither been the search for efficient labor consolidation nor the development of controlled distribution mechanisms. Instead, the proposition was to design a city based on "sentiments," which likewise to gravity, mankind cannot resist, and therefore is a matter of cultural manipulation.

"If historians who call themselves friends of the people had properly studied the nature of mankind, they would discover that what is most sought by the people is none other than the taste of delicious cooking, and in order to bring joy and happiness to people, it is above all necessary to provide them with delicious meals to eat. That being said, by what means then, are people able to enjoy delicious cooking?"
-Charles Fourier, *False Industry*[2]

Fourier, who insisted on liberating sexual love (from mere reproductive purposes) and invented the word "feminism" in advocating respect for women's rights, had to the same extent (or even more so within the context of urban life) considered ways of exploring and developing the concept of "food," which in itself is a more urgent human desire than reproduction.

Cooking in the first place, is not the natural transformation (decaying) of raw materials, but is instead a manipulated cultural transformation that allows us to easily absorb food, and beyond this, satisfies our sense of taste. If a city is an advanced structure that manifests as a result of culturally transforming natural matter like as water, steam, air, fire, or gravity, it goes without saying that cooking is a delicately constructed product that manipulates such phenomena. Nevertheless, cooking is not simply an "analogy of a city."

Should we follow what Fourier suggests, the true foundation that supports a city does not in fact lie in infrastructure such as road networks, power lines, subways, water supplies and sewage. For instance, water and sewer services are secured as a result of cooking. Water passes through our bodies in the form of "cooking" which crystallizes our sentiments towards food, and then flows into the sewers. This is the very node that separates the water supply between top and bottom, and is the foundation supporting urban infrastructure.

If this were the case, would it not be possible to imagine a city that could have been by employing techniques of cooking? Or, would it not be possible to create a city that we may encounter in the future?

September 1, 2019
mirukusouko + The Coconuts

[1] Jean Anthelme Brillat-Savarin, *Physiologie du Goût, ou Méditations de Gastronomes parisiens, par un Professeur, member de plusieurs Sociétés littéraires et savantes*, 1825.
[English Translation by M.F.K. Fisher, *The Physiology of Taste: or Meditations on Transcendental Gastronomy*, 1949]

[2] Charles Fourier, *La fausse industrie, morcelée, répugnante, mensongère, et l'antidote, l'industrie naturelle, combinée, attrayante, véridique, donnant quadruple produit*, tome I, 1835-1836, cité dans René Schérer, *Charles Fourier ou la Contestation globale*, Seghers, Paris, 1970.
[English Translation: *False Industry, Fragmented, Repugnant, Lying and the Antidote, Natural Industry, Combined, Attractive, True, giving four times the product*]

転用料理

| Day 1 | 沢煮椀
[日本]
| Day 2 | シィー
[ロシア]
| Day 3 | トムカーガイ
[タイ／ラオス]
| Day 4 | ビールスープ
[リトアニア]
| Day 5 | エグシスープ
[ナイジェリア]

ここはどこ？ わたしは鍋

沢煮椀から、シィー、トムカーガイ、ビールスープを経由して、エグシスープまで

「ガストロノミーツーリズム」という語をご存知だろうか。その土地の気候風土が生む食材や習慣、伝統や歴史などによって育てられた食と、その食文化に触れることを目的としたツーリズムで、食を通じ土地の文化そのものを文字通り「味わう」といったものである。観光インフラを新たに造成する必要がなく、パッケージ次第では、どんなに小さなコミュニティでも実装可能な観光事業の一形態だといわれる。

さて、今回の料理は「転用料理」である。「転用料理」とは、その前日の残りものを元に、新たな料理として展開していく調理法である。今回はウイークデイの5日間にわたる転用のパッケージを紹介しよう。ガストロノミーツーリズムが、ひとつの土地の食を通し、その土地の様々な文化を味わうというものであれば、この「転用料理」は、ひとつの鍋に残る料理を、後日の食材として次々と転用していき、5日間、様々な土地の料理を味わうというものである。

たとえばパリは、その起源としてガリア人のパリジー族が住み着き、その後ローマ帝国の植民地へ、さらにフランク族による王国の首都、それから大聖堂造営による宗教の中心地、さらにルネサンスで宮廷文化が花開き、ヴェルサイユ遷都により経済都市へ、ナポレオン戦争時には2度の外国人による占領、そして職人蜂起によるパリ・コミューン、そうしてナチス占領、等々と（省いたものも多いが）その変遷は実に雑多である。

この変遷はなにも、為政者や都市を構成する住民が上滑りに変わっただけ、ということではない。幾度も築かれた多様な様式の城壁や都市壁には穴が穿たれ、古い街道は結ばれ拡幅され、時には複線化される。そして、下水や鉄道やガス管、電線が敷かれ、都市自体を作り変えていく力となる。2400年程度生きていれば、パリにおける千態万状を目撃出来ただろう。

こうしたものは、一度に洗い流され、刷新されてしまうのものではない。常にパッチワークのように組み直される。
それはパリに限らず、水運から陸運に変更された東京において、暗渠化され、取り残された水路のように、異なる時代の痕跡や残余が、その都市のキャラクターを形成していることはいうまでもない。転用料理もまた、都市が変転していくのと同じように、前世をその内に秘めながら、目の前の皿の上に展開されるのである。

《 ここはどこ？　わたしは鍋 》（ 6 枚のレシピのうちひとつ）
'Where am I? I'm a hotpot' (1 of 6 recipes)

113

豚ロースの
Amazon焼き

｜材料｜

豚ロースブロック
塩

Amazonのダンボール
（肉の包み紙、および燃焼燃料等で中種種類ろがれ、80数数類）

※調理器具として
大型のバーベキューコンロ
（今回はドラム缶を半割りにしたもの）
を使用

こんにゃくの串焼

｜材料｜

こんにゃく
漬物の漬け汁

ダンボールのジャングルで
豚ロースのAmazon焼き

今回の料理は、Amazon焼きである。Amazonといっても、多種多様な生命を育むジャングルの代名詞、南米アマゾンではない。倉庫に多種多様な物品を蓄え、我々の部屋に送り届ける、あのAmazonである。

この料理は、Amazonの箱で豚肉のブロックを包み、大型のバーベキューコンロ（といっても、たとえばドラム缶を半割りにしたものなどで代用できる）で蒸し焼きにするというもので、焼けたダンボールの香ばしさが豚肉に移り、上等なハムを思わせる絶品なのだ。もしかすると「焼きもの」や「蒸しもの」ではなく「燻しもの」に分類される料理かもしれない。

使用するダンボールは、肉の量で変わるが2kg程度の肉なら中箱くらいの大きさが丁度良い（600g程度であれば、本が1,2冊入る小型のものがベストである）。

海老の背わたをとるように、箱についたボンドやテープを丁寧に剥がす。単調な作業ではあるが、雑味を出すものは取り除かねばなるまい。この間、肉には大さじ2杯程度の塩をふり、2,3時間ほど寝かしておく（600gであれば、大さじ半の塩に1時間くらい寝かす）。

そもそも木片（チップ）で燻すのと、パルプのダンボールで燻すことの根本的な違いはないだろう。しかし、今までにこの調理法が発明されえなかったのは、文化人類学者の西江雅之が指摘する「食べられる物」と文化的制約を受ける「食物」との差異ゆえだろう。とはいえ、我々を突き動かすのは、まさに「旨さ」への飽くなき欲望である。

ただの木片よりも、インクの香りの方が良いことは誰もが知っている。

Amazonのダンボールの底には、配送時と同じように板ダンボールを1枚敷き、出来上がった包みに、シャワーノズルのついたホースで満遍なく水をかけ、全体がしっとりしたら肉を入れ封をし、さらに燻した雛が逃げないよう、上面にも板ダンボールを敷く。気をつけたいのがAmazonの脆弱なダンボールは崩れやすいこと。しかもテープ類は使えない。ゆえに直接ホースで水をかけるのではなく、シャワーを使うことが絶対条件なのである。

さらに、ここから細心の注意を払い、ふやけて柔らかくなった肉入りダンボールを金網へと移動する。肉の重みで底が抜けないよう両手で優しく包みながら運ばねばならない。金網にのせることが出来れば、一転、大胆な行程だ。バーベキューコンロのダンボール片に火を点し、網の上の肉入りダンボール

が乾くまで、コンロへ、ダンボール片をくべ続け火力を上げていく。

いうまでもなく、この料理の最大の特徴は、被調理材を包む調理具も、塩以外の調味料も、そして火の燃焼材も、全てが「ダンボール」という単一の素材で支えられていることであろう。

肉入りダンボールが乾いて火がまわり始めたら、このダンボールが燃えつきてしまわぬよう、ホースで水をかける。この時もやはり「シャワー」が条件である。強い水圧でダンボールが壊れるのはもちろん、コンロの炎まで消してしまうことになりかねない。風向きによってふらつく炎に向き合いながら「肉は焼くけど、包むダンボールは燃やさない」。考えることはこの一点である。もし複数人で料理をするならダンボールをくべる係と水をかける係に分かれて作業をすると良い。

調理は、BBQが出来る公園やアウトドアパークでも構わないが、廃線となり使われていない地下鉄駅構内や立体交差橋下、さらには打ち捨てられたビルや工場内であれば、それに越したことはない。なぜなら天候に左右されず無風の方が、お調理しやすいからである。水道は水でない場所であれば、ポリタンクと足踏み式ポンプとシャワー付きホースで対応する。知恵をしぼって、臨機応変に対応すべし、である。

3、40分ほどすれば、ほのかに肉の焼き香りがしてくるだろう。これを合図に、水かけとコンロに火を点すのをやめ、肉入りダンボールの、さらに上へとダンボール片を積み重ね炎を熾す。つまり、上面から焼いていくのである。

こうして、下層のダンボールにも燃焼がともり、上面も肉入りダンボールをも焦がしていく。さらに4、50分もすれば、網の上には堆積した灰の山が出来上がる。当初、戦後のバラック建築的、あるいは90年代の西新宿様相であったダンボールの構造体は、すべてが灰となり古墳的な様相へと変化する。

周囲に可燃物がないかよく確認し、強く息を吹きかけると、中から肉汁が輝く肉が姿をあらわす。しかし、ここで焦げはさ汁以外を無理やり、キレイに取り除こうとしないこと。この料理にとって、灰こそ最高のスパイスなのだから。さらに肉の下のダンボールは焼けのこり、切り分けた後も、まな板から皿への移動を助けてくれる。準備万端、舞台は整った、さあ召し上がれ。

成功したもどき料理
こんにゃくの串焼

こんにゃくは奈良時代には発明されていたといわれているが、その製造過程は複雑だ。芋のままでは、イノシシも食わないというほどエグ味が強く「よくもこんなものを食べられるようにしたものだ」というほどの味らしい。

とはいえ、もともとが薬用、砂洗いの整腸薬として伝えられたものと聴くと、なるほどと納得している。良薬口に苦しだ。

こんにゃくは、まず下処理をする。『時代屋の女房』の主人（つまり、時代屋の主人なわけだが）に倣って、瓶ビールの蓋でこそぐ様に切ってやる。軽く水洗いしたら、沸騰したお湯で2、3分茹で、お湯をしっかり切り、冷めたらビニールなどに入れて冷凍庫に放り込んでおく。この際、平たくした方が早く凍る。

半日もしたら凍っているだろう。冷凍庫から取り出してやり、流水で解凍する。揉むように押すと、アサリが水を吐き出す様にぴゅーっと水が吹き出る。あっちやこっちから、どこから吹き出すか分からない（子どもとやっこも楽しかろう）。ここでは、徹底的に水を抜いてほしい。

水を抜いたら、味入れである。よくあるのは甘辛い醤油タレをからませるやつだが、ぜひ試して欲しいのは漬物の漬け汁である。搾菜、キムチ、高菜漬けあたりが良い。しっかりとした塩気と旨味が凝縮されている汁である（普通捨てるだろうが、この楽しみのために冷凍保存しておくことをお勧める）。ボウルでこんにゃくと、汁とを揉み込みながら合わせる。しばし放置し、その後串刺す。肉の様な抵抗感があるので、利き手に串をもったら、逆の手でしっかりと、こんにゃくを押さえ刺していく。串長さに対して、多いぐらいギュウギュウに詰めて刺すのが良い。

そして、お楽しみの焼きタイム。直火で串焼屋風に焼いてやるのだ。じっくりとひっくり返しながら。多少、焦げが付くぐらいまで焼いたら完成する。

出来上がりの見た目は「タンシタ」に近いだろうか。

噛み締めると、染み込んだ汁の味がじわっじわっと出てくるが、その染み込んだ味と食感で、何を食べているかよく分からない。だが決して不味いわけではない。

ここで思い起こされるのは、田中小実昌の戦後の食糧難の時代の話である。

小皿に乗らした醤油に輪ゴムをつけて、それをアテに酒を飲むというやつだ。実際のところ、ここでは後に襲ってくる強烈なゴム臭と引き換えに、瞬間的に訪れる「スルメ感」に賭けられているわけだが、このこんにゃくにはそれがない。

つまり、串に刺されタレ色に染まるこのこんにゃくは、一見すると輪ゴム同様の「もどき料理」へとカテゴライズされるものかもしれないが、よくある「もどき料理」のように味の参照項が経験済みの味覚に見当たらないのである。オリジナルのない、つまり何ものかのイミテーションではない「成功」した「もどき料理」とでもいおうか。

そもそも食えなかったはずの土中の芋が、複雑な加工を施され、食品化のプロセスを経たにも関わらず、手間をかけ再度変形が加えられて、まとった味と、歯ごたえのある食感を、確かに口中に与えながら、結果としては「何ものにもなりえないまま」腹に落ちていく。

「何ものでもない」がゆえに、ひるがえって「何ものにもなる」というような可能性だけを担保されたままに。

そう思えばなるほど、このこんにゃくの存在は、まるで我々のようではなかろうか。生地を離れ、都会の雑踏に住み着いたものの、何ものにもなれるわけでもないまま飲み込まれていく……。我々は、今まさに掘りしめるこの料理のような、何かしらのごとき料理なのであった……。などと独りごち、一層酒も進んでしまうのが、この料理なのである。

《ダンボールのジャングルで》（レシピ）
'In a cardboard jungle' (recipe)

《成功したもどき料理》（レシピ）
'Successful 'modoki' (mock) cuisine' (recipe)

納豆・豆腐・
キムチ・味噌の
ペースト

|材料|
納豆
豆腐
キムチ
味噌
ナッツ類
上新粉*
砂糖*
＊外部レバー配合

発酵連合
納豆・豆腐・キムチ・味噌のペースト

今回は様々に展開できる発酵ペースト料理である。こうした料理は、色々アレンジし自分好みの発見出来るよう、あらかじめ多めに作っておくことをお勧めする。

まず、十分に水を抜いた豆腐2丁（重りを乗せて半日、ペーパーに包んで2、3日冷蔵庫ではっといたもの）をフードプロセッサーで撹拌する。ここにキムチを少々加え、再度撹拌。次に納豆を2パック、タレとカラシは使わない。これらも撹拌する。

フードプロセッサーがなければ、手で出来る範囲で良い。箸でねったり、手でこねくったり、包丁で微塵切りでも、なんでも良いから、細かくしてやって混ぜてやれば良い。豆腐を一生懸命砕こうと思わなくても、どのみち納豆の粘りに侵され崩壊し、その存在感は感じられなくなっていく。

ここらで混ぜ合わせたものを、しばし冷蔵庫で寝かせてやる。丸一日寝かせても良いが、3時間ほどで充分だろう。

豆腐を培地として納豆菌が増殖しているのだろうか、豆腐が納豆のように変化しつつあることが味をみるとわかるのである。もし塩気が足りないと感じれば味噌を少々加えて、さらに混ぜる。

この段階のペーストでも十分、パンやクラッカーなどの小麦生地、トルティーヤなどのコーン生地などに合う。もちろん白いご飯にも当然合う。あるいは、その素材の一つである豆腐などと一緒に食しても面白い。

これで、いったん完成と考えても良いが、そうしない方がこの料理には良いだろう。

まず、日を追うごとに味が変化していく。キムチの乳酸発酵が進み、酸味が増すのだ。匂いも作りたてより強くなるが、もしそれが気になるなら豆腐を足して最初の頃に戻してやる。

次に、ナッツ類を砕いて加えれば、納豆やキムチの旨味と、ナッツの香ばしさや油脂成分のコクと上手くマッチし、「なんともチーズの様な」という形容が相応しい、豊かさやふくよかさのある、贅沢な味へと変化する。

これ自体も素材とすることは可能である。上新粉を水に溶いて砂糖を加えたものを、この発酵ペーストに混ぜ込むのだ。それからラップに包み、長方形の型に入れて蒸し器で蒸す。つまり「外郎」である。朝に一本の「栄養食」としても良いだろう。

さらに十分に乾燥させ、水が抜けるとカチカチになり、日持ちする非常食のようなものにもなる。固形となれば、ツーリングやキャンプ、山登りなどに携帯するのにも重宝するだろう。さらにこれを砕いて、基本のペーストと合わせることも可能なのだ。

たとえば、生態系ピラミッドを思い起こしてみよう。人類は上層で微生物は最下層の住民である。しかし微生物の助けを借りた、こうした料理を口にしたとき、その関係は反転する。ただし同じ発酵食品であっても、単品の納豆と大きく異なるのは、この料理の中には、複数の素材と複数の微生物が折り重なっている点にある。

複数の素材を統合し、それが新たなる素材となり、別の料理へ展開される。あるいは再び元の素材と合わせてみる。元の元の素材と合わせてみても良い。複数の素材を元にしているからこそ、こうした可逆的なプロセスを踏んだとしても、単調な味の推移にはならないのである。この点は「転用料理」にも似てもいるだろう。

しかし、豆腐を例えに挙げると、マターとしての食材は、ソフトとハードという物質変化における両極性を、潜在的に持っている。たとえば、おぼろ豆腐と高野豆腐というようにだ。

この料理は「発酵」という時間と、こうしたソフトからハードへという加工プロセスの時間的推移とを同時に抱えているのである。ペーストの中に乾燥したものを砕き混ぜるとき、この料理においては、素材だけではなく複数の時間をも折り重なるのだ。

思う存分時間をかけてみると良い。そして、その都度、舌の上に運んだのなら、きっとこうした味わい（変化）の恩恵に授かるところだろう。

ゴミの袋と胃の袋
野菜くずのチップス

たとえば、野菜の皮などゴミは捨てるのに困ってしまう。

水気があるので2、3日で変色し、見た目に心地よいものではないし、臭いも放つ。

庭さえあれば、コンポストなどで分解することも出来るだろうが、それが叶うものは少ないだろう。キッチンに設置できる小型電気コンポストも存在するが、購入するという初期コストと、消費電力の大きい家電を設置することも、まったくといって気が進まない。ゴミ袋もそうだが、「捨てること」に対価を支払うというだけではなく、捨てることに対する無感覚に、そもそもの抵抗を感じるのである（ことに「ゴミ袋」は、それ自体が捨てられるためだけに存在する）。

さて、それではどうするか。可能な限り食べてしまうのが良いだろう。

体内に入れ、クソにして、下水へと流してしまえば、こうした抵抗感に苛まれることも、捨てる煩わしさも多少は減るのではないだろうか。

それでは、野菜くずのチップスである。

野菜の皮や切れ端などを天日に干したり、電子レンジがあれば、2分ほど「あっため機能」を使えば水分は飛ぶ。手間をかけられるなら、油を軽く吹きつけ、ノンオイルフライヤーで200℃の温度で数分である。もっと美味しさを追求したければ、出汁を引くなんてことは滅多にないかもしれないが、昆布や鰹節の出がらしなどが混じれば、味も食感にもバラエティが出る。

昆布や鰹節の出がらしを脱水する行為は、いわば、流通していた状態に再び「戻す」作業である。ここでは「再戻し」とでも呼んでおこう。

少々の塩やコショウなどとジップロックに入れ、シャカシャカすれば、たとえば、現場作業での合間にちょうど良いし、塩を顆粒のコンソメや鶏ガラスープなどにすれば飽きもこない。弁当などに振りかけても良いかもしれない。

《 発酵連合 》（レシピ）
'Fermentation alliance' (recipe)

《 ゴミの袋と胃の袋 》（レシピ）
'Garbage sack and stomach sack' (recipe)

115

ここはどこ？ わたしは鍋（転用料理5日目）
エグシスープ［ナイジェリア］

エグシスープは、ウリ科の植物エグシの種子を細かく砕いて肉や干し魚、野菜を加えたスープである。元々は農耕民族ヨルバ人の料理で、主食である「パウンドヤム」や「エバ」と共に食べる。スパイシーなカレーにも似たひと品で、最後を飾る料理に相応しい。

まずは、エグシの種子をフライパンで炒って行こう。それをミキサーにかけ砕いておく。これとは別に干しエビもミキサーにかけて砕く。

次に、新しく用意した玉ねぎ、青唐辛子はみじん切りに、ほうれん草はざく切りか、みじん切りにする。鍋にて3日目の鶏肉を大さじ1のパームオイルで焼き色がつくまで炒める。柔らかい鶏皮の食感が好ましくない場合は、まず剥がして先に炒め、モツのような見た目になるまで水気をとばすとよい。鶏肉に焼き色がついたら、みじん切りにした玉ねぎとタラを入れ再び焼き色がつくまで炒める。いったん具材を取り出し、大さじ3のパームオイル、青唐辛子を入れ炒めたら、エグシの種子と3日目のスープを入れ水気が飛ぶまで煮る。

ここに4日目のスープの残りと、カットトマトを入れ弱火で煮る。沸騰したら最初に鍋から取り出した鶏肉などの具材、オールスパイス、レッドペッパーなどの香辛料、干しエビを入れ再び煮込む。

4日目のスープのビールスープはいわゆる「ポタージュ・リエ」（とろみのあるスープ）であったが、この量感と滑らかな舌触りが、最終日のスパイシーなスープの下支えになっている。

裏ごししているスープは、とりわけ口の中の粘膜にまとわり付き、口内の触覚を刺激するものだ。

味を見つつ、2日目のスープを入れながら水分を調整する。ここにほうれん草を加え、しんなりするまで煮込んだら完成である。

4日目のスープのとろみとツールダールの弾力の中に、新たに加えたエグシシードの粒が舌の上を撫でていく。ここにレッドペッパー、干し海老などの辛味と風味が合わさるのだ。この辛さと深みのあるコクとが一週間の疲れを吹き飛ばしてくれる。

このスープは、「汁もの」と「ソース」との中間に位置するといえる存在である。カレーも同様ではあるが、具材がかろうじてその姿をとどめているということ以外は、ソースと同じように何かにつけて食べるものなのである。

さて、ここで4つすべての料理が出会い、5つの料理が出揃った。

先にも述べたが、この「転用料理」の楽しさは、存在自体は見えないが、かつてあり、また確かに現在を支えるものとして、ふと思い出したかのように、食材が浮かび上がるという点にある。表層からは見ることは出来ない、地下に密かに眠る巨大暗礁のような存在を、小さな鍋の中に抱えているのである。そして、スープの世界における時間的な変化は、決して不鮮明さを伴うものではなく、逆に煮込まれるほど、驚くほどの鮮明さを持つのである。

ここはどこ？ わたしは鍋（転用料理4日目）
ビールスープ［リトアニア］

4日目はハーブが香り仄かにビールの苦味が香るスープである。これは日本の粥に近く、食欲がなく体調の優れないときなどに食べる「胃に優しい」ポタージュである。週の半ばを過ぎれば胃にも休息が必要だろう。朝食にもおすすめである。

まず、ツールダール（キマメ）を1時間ほど、分量の2倍程度の水にさらしアク抜きをし、その後20分ほど火にかけて、さらにアクをとる。

その間、昨日のトムカーガイを別々の容器に半分づつに分け、さらに具材を、鶏肉、レモングラス、コブミカンの葉、鷹の爪と、それ以外の具材に分ける。鶏肉などが入った方は、本日使わないので冷蔵庫へ入れ取っておく。この時くれぐれも2日目のシーフードと一緒にしてはならない。

この具材から、ジャガイモ以外を3～5mm程度のみじん切りにする。ココナッツミルクの油分とふやけた食材に苦労するかもしれないが、出来るだけ均一にしよう。ジャガイモは滑って容器から飛び出さないように注意しながら、形がなくなるまで潰し、そこに3日目のスープを入れ混ぜる。もし潰すのが面倒ならば、ジャガイモは3日目のスープと共にミキサーにかけても良い。しかし、メークインのでんぷん質がとろみを持ち過ぎるため、薄切りにしたあと、ごく短時間にとどめるのが好ましい。ジャガイモのざらつきが残る程度を目安とする。

次に、2日目のスープをその具材とともにミキサーにかける。ここではしっかりと滑らかになるまで行う。先ほどの、ジャガイモを混ぜた3日目のスープとミキサーにかけた2日目のスープを混ぜ、そこにビールを入れる。乾燥ハーブ類もここで加え、ビールスープのボディの完成である。

鍋にオリーブオイルを引き、先ほどみじん切りにした具材を炒める。ここにベーコンを加えても良いが、本日の豚ロース、2日目の鶏肉により肉の旨味が十分スープに溶け込んでいるので、より旨味が欲しい時のみよい。ある程度水気が飛び、具材から香ばしい香りがしてきたら、ツールダールを汁ごと加え再び炒める。

ここにビールスープのボディを加え、アルコールがとぶまで弱火で煮る。香りを嗅ぎアルコールが飛んだようであれば味見をして、苦味が強いようであれば、2日目のスープを少量加えながら味を調える。

カップに注ぎ、フレッシュハーブのイタリアンパセリ、ディルを散らして完成。昨日までのゴボウの風味香るスープに、ほのかなココナッツミルクの甘みとビールの苦味がブレンドされた、ほっと息をつくような一品である。

ここで転用料理の醍醐味として、3日目のトムカーガイを煮詰めてコショウを混ぜ、それをスープに垂らしても美味しい。

もちろん、残りのスープは最終日までとっておく。食べてなくなってしまうと、また1日目からやり直しである。人生の苦味はビールだけで十分である。

《ここはどこ？ わたしは鍋》（レシピ）
'Where am I? I'm a hotpot' (recipe)

火のないところに菌は立つ
水キムチとヨーグルトと冷たい魚のスープ

料理というと、焼く、炒める、揚げる、炊く、茹でる、煮込む、等々、熱を与え素材を短時間に大きく変化させるようなものを思い浮かべるし、もちろん、それらは料理というものを考える上で重要な要素である。アメリカのBBQ文化を鑑みても、火をあやつり様々な自然物をまるで魔法使いになったかのよう加工していく行為は、台所に立つ者にとって高揚感を味わえる醍醐味の一つであるだろう。が、火の気や湯気といった熱量を伴わない、もっと淡々とした料理も当然存在する。

今回はそんなひと品を紹介しよう。一度も火を使わない料理だ。ただし具合良くいただくには少々の時間はかかる。

ベースとなるのは「水キムチ」だ。水キムチは、唐辛子が伝来する以前の韓国の、素朴な美味しさを感じることが出来るキムチである。塩によって野菜や果実から出た水分と、そこへさらに加えた水とで漬け込み、乳酸発酵させた、名の通りの汁気たっぷりの漬物だ。漬物ではあるけれど、メインはその汁だ。優しい塩気と、素朴で軽い酸味が心地良い。

それでは、簡単に水キムチのレシピを紹介しよう。大根、白菜を切って塩で揉んで、しばし置く。出た水分は使うので捨てない。次に、すり下ろした、りんご、なし、大根、玉ねぎ、長ねぎ、にんにく、生姜をガーゼで濾して、アミの塩辛と共にミネラルウォーターへ入れ、さらに塩を加える。

ここに、先に塩で揉んでおいた大根、白菜とそれらから出た水分も加えて、密閉容器に入れて常温で放置する。夏場なら6時間ぐらい（気温によって多少塩加する）、冬場なら3日ほどが目安になろう。発酵が進んだら、あとは冷蔵庫で保管。1ヶ月ぐらいは保つ。

この水キムチに、魚を合わせる。お刺身である。白身魚なら鯛、平目、すずき、赤身なら、いなだ、かんぱちなど、青魚なら鯵、鰯、鰺などが良い。他はカツオだと。たはボイルしてあるものでも結構。鯛、たこはそぎ切り、ホタテは厚みを活かしたいので、縦に3、4等分に切る。そして、余分な水気を拭って水キムチの中に入れ、さらにヨーグルトを加える。

このヨーグルトはヨーグルトである。せっかく火を使わずして、ひと品作ろうというのに、牛乳から作るとなると火を起こさなければならない、何より流石に手間でもある。これは買ってきたもので良しとしよう。水キムチと同量程度加えて再び冷蔵庫へ。しばし待つ。

火を使わない料理とはいうものの、温度的な条件（気温）には依存している。ここでは炎を調節するのではなく、逆に、塩や水気や、加える食材などの方を調節する「受動的調理法」といえるかもしれない。いかにも優しそうな響きではあるが、この「受動性」ゆえのリスクはある。それは、環境に対する感度が鈍ると、天災的災難=雑菌の繁殖や異常発酵を招いてしまう点である。

「受動的調理法」は、熱によって雑菌を殲滅し腐敗から逃れるのではなく、料理として菌の生態も含めこの環境を整えなければならない。このようにいうと、まるで水槽を外から眺め、時折、餌をその中へ放り込むかのように聞こえるかもしれないが、こと料理においては、調理場に立つ自身もその環境の一部であることを忘れてはならない。ゆえに当然自身の管理も必要とされる。手を洗う、爪を切るはもちろん、面倒だからといって素箸や食器を使い回そうとする意惰を制さなければならない（こうした料理は、今回の「水キムチ」の他に、その代表として「ぬか床」を用いるぬか漬けも挙げておこう）。

さらに、日々の生活の中においては、この調理の先にある「我々自身が食す」ということも思い出そう。こうして料理という有機的連関の中に、我々もその一部として位置付けられる。目に見えないミクロな菌との関係によって、我々の生活も律されるのである。

さて、そろそろ冷えただろうか。冷蔵庫から出して仕上げといく。みじん切りにしたケッパーとピーマンを乗せて、レモンをすり下ろして皮だけを全体的に散らす。最後にオリーブオイルをひと回しする。さぁ完成。洗って滑りをとった白飯に掛けても合う一品だ。

Between pressure and pressure
里芋のガレットのミルフィーユ（チェリーパイ風）

コロニアル様式と呼ばれるものがある。主に欧米諸国が植民地に建てた建築物や構造物、都市などを指すものである。

たとえばコロニアル様式の都市では、グリッドプランの道路と、その中心に矩形の広場を配しているという特徴がある（これは中南米に多く存在する）。

しかし建築様式としては、ロマネスクやゴシックなどといった様式と違い、一言でコロニアル様式とわかるような明示的な構造や意匠などの特徴を持ってない。

北米、南米、アジア、アフリカなど、各地でその特徴は微妙に異なり、大きなバルコニーや回廊、白い壁など「コロニアル様式」と聞いて何となく思い浮かぶ曖昧なイメージは存在するが、このような特徴を持たない建築物も数多い。

原住民たちの都市を一度スクラップし、新たな都市を造成するというよりも数百倍小さな規模である建築においては、宗主国の建築プランを、植民地の職人が現地の資材と手持ちの技術によって翻訳しながら接合させていった痕跡こそが、建築におけるコロニアル様式だといえるだろう（たとえば、日本における最も有名なコロニアル様式の建築である長崎のグラバー邸には、日本式の瓦屋根が使われている）。

今回紹介する料理は、コロニアル建築で食べるコロニアル様式のスイーツだ。といっても、グラバー園やラッフルズホテルのような観光地で食すゴージャスなスイーツではない。宗主国の富裕層によって建設されるコロニアル様式の別荘を建てる植民地の建設職人が、同じく現地で雇われたメイドから3時の休憩に提供される「おやつ」である。

この「おやつ」は、薄いガレットをミルフィーユし、その間にはチェリーのジャムが塗られた素朴なひと品である。ガレットというからにはフランスか、あるいはチェリーパイ風ということだけあって、アメリカあたりが宗主国なのかもしれない。

まずは、ジャムから作っていこう。アメリカンチェリー、水、砂糖、レモン汁を火にかけて弱火で煮る。チェリーが柔らかくなったら鍋から取り出して種を取り、適当な大きさに刻む。刻んだチェリーを、再び鍋に戻し煮詰めてジャムにする。ガレットの生地は薄く脆いため、ジャムの粘度が高過ぎると塗りづらくなる。あまり水分を飛ばし過ぎず、サラッと仕上げると良い。

次はガレットである。タロイモのケーキやプディングはよく知られたスイーツだが、今回はなじみ深い里芋を使おう。

里芋を10個くらい、20分ほど茹で皮を剥きミキサーに入れる。ちゃんと火を通せば、ミキサーに入れる際、潰したり刻んだりする必要はない。ここに砂糖を適量、卵を1個、甘酒を入れてよく混ぜる。甘酒は麹のつぶが残っていないサラッとしたものを使ったほうが良い。さらにミキサーの中へ、あらかじめ牛乳とココナッツミルクを混ぜて、なじませておいたブレンドミルクを加えていく。里芋はねばりが強く意外と生地は伸びないので、ちょっと水っぽ過ぎるかな？と思うくらいブレンドミルクを入れても良い。

さらに、この生地は焼いてもとても柔らかく、フライパンからも剥がれにくい。こうした場合、フライパンで直焼きせず、クッキングシートをフライパンの底面の敷くと良い。綺麗に焼き上がるし、移動しもやすい。

それでは、クッキングシートをフライパンの底面サイズに丸く切っていく。今回は10枚程度焼くので、この数だけ用意する。この工程をいい加減にやるとクッキングシートのシワによって、生地が綺麗に平たくならない注意が必要だ。フライパンにこのシートを敷いたら、そのままフライパンを熱し、生地を流し入れて薄く伸ばす。弱火で10分ほどじっくり焼く。裏返す必要はない。伸ばした生地のふちが少し焦げ、めくれ上がってきたら火を止め、クッキングシートごと濡れ布巾の上に滑らせて粗熱をとる。

これを繰り返し、ガレットを10枚くらい焼いていく。冷めないうちは生地が破けやすいので、あわてて重なったりはしない方が良いだろう。最後に、焼き上がったガレットとジャムをミルフィーユする。

今回の料理の段違いになった形状をめぐっては、2つの説が存在する。一つは宗主国の軍旗を模して、少しズレた円形と、その円の中心から伸びる放射状の切れ込みによって形作られているという説。もう一つは、コロニアル様式に散見される、円形のバルコニーと玄関ポーチ、そして上下段がズレているのは、外壁仕上げの「下見板張り」を模しているという説である。

しかし確かなのは、厚みの違うミルフィーユによってもたらされる、異なる食感の心地良さである。

当時の職人たちは、まるで夏場の「下見板張り」のようにひと息つき、おやつを食べながら理解のおぼつかない指示について、今後の作業の見通しを立てていたのだろうか。それとも「なるようになるさ」とタバコをふかしながら、ゆっくりと休んだのだろうか。

《火のないところに菌は立つ》（レシピ）
「There is bacteria where there is no fire」(recipe)
《Between pressure and pressure》（レシピ）
「Between pressure and pressure」(recipe)

《"scratch tonguetable"のための台所》2019

'Kitchen for "scratch tonguetable"¹ 2019

《聴く、砕く》（梅の混ぜ込みクスクスと餡かけそばのタフ・ディーグ）
'To listen, and to crush'
(tahdig made with couscous mixed with pickled dried
plum and stir-fried noodle with starchy sauce)

《ここはどこ？　わたしは鍋》（沢煮椀）

「Where am I? I'm a hotpot」（sawani-wan）

《陣取りゲーム／反転する敷地料理》（ピーマンの活き造り）
'Conquest game / cooking reversed territories'
(freshly prepared ball peppers)

《「土」と「土台」と》（パリパリ麺フレークのフライドチキン）
'The "soil" and "foundations"」
(fried chicken in a batter of crispy noodles)

《"scratch tonguetable"のための台所》（キッチン）
'Kitchen for "scratch tonguetable"' (kitchen)

《"scratch tonguetable"のための台所》（上下水道）
「Kitchen for "scratch tonguetable"」
(water supply and sewerage)

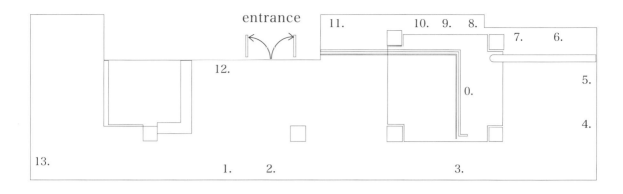

entrance

0. 《"scratch tonguetable" のための台所》
2019 ｜上下水道、シンク、調理台、ガスコンロ、電子レンジ、冷蔵庫、冷凍庫、換気扇ほか
400 × 500 × 470cm ※配管を除く

1. 《陣取りゲーム／反転する敷地料理》
2019 ｜レシピ、ピーマンの活き造り

2. 《料理の乗務行路表》
2019 ｜レシピ、セロリと豚ひき肉のそば粉ラビオリ、ヨーグルトソースがけ

3. 《ここはどこ？ わたしは鍋》
2019 ｜レシピ、沢煮椀、シィー、トムカーガイ、ビールスープ、エグシスープ

4. 《'保存' の行方》
2019 ｜レシピ、ミルヒライスに鶏レバーのコンフィ風紹興酒漬けを添えたもの

5. 《火のないところに菌は立つ》
2019 ｜レシピ、水キムチとヨーグルトと冷たい魚のスープ

6. 《崩されるべきコクーン》
2019 ｜レシピ、カルピスクリームコロッケ

7. 《聴く、砕く》
2019 ｜レシピ、梅の混ぜ込みクスクスと餡かけそばのタフ・ディーグ

8. 《発酵連合》
2019 ｜レシピ、納豆・豆腐・キムチ・味噌のペースト

9. 《Between pressure and pressure》
2019 ｜レシピ、里芋のガレットのミルフィーユ（チェリーパイ風）

10. 《成功したもどき料理》
2019 ｜レシピ、こんにゃくの串焼

11. 《ダンボールのジャングルで》
2019 ｜レシピ、豚ロースの Amazon 焼き

12. 《「土」と「土台」と》
2019 ｜レシピ、パリパリ麺フレークのフライドチキン

13. 《ゴミの袋と胃の袋》
2019 ｜レシピ、野菜くずのチップス

0. *Kitchen for "scratch tonguetable"*
2019 water supply and sewerage, sink, cooking counter, gas cooker, microwave oven, refrigerator, freezer, ventilation fan etc.
400×500×470cm ※excluding piping

1. *Conquest game / cooking reversed territories*
2019 recipe, freshly prepared ball peppers

2. *A crew operation plan for cooking*
2019 recipe, buckwheat ravioli with celery and minced pork in a yogurt sauce

3. *Where am I? I'm a hotpot*
2019 recipe, sawani-wan, shchi, tom kha kai, beer soup, egusi soup

4. *The whereabouts of 'preservation'*
2019 recipe, milchreis with confit style chicken's liver marinated in shaoxing wine

5. *There is bacteria where there is no fire*
2019 recipe, cold fish soup with wed kimchi and yogurt

6. *Cocoons that should be destroyed*
2019 recipe, calpis cream croquettes

7. *To listen, and to crush*
2019 recipe, tahdig made with couscous mixed with pickled dried plum and stir-fried noodle with starchy sauce

8. *Fermentation alliance*
2019 recipe, paste made from natto, tofu, kimchi, and miso

9. *Between pressure and pressure*
2019 recipe, taro galette mille-feuille (cherry pie style)

10. *Successful 'modoki' (mock) cuisine*
2019 recipe, grilled konnyaku skewers

11. *In a cardboard jungle*
2019 recipe, Amazon roasted pork loin

12. *The "soil" and "foundations"*
2019 recipe, fried chicken in a batter of crispy noodles

13. *Garbage sack and stomach sack*
2019 recipe, chips made from vegetable scraps

キッチンから都市を仮構する ——
ミルク倉庫＋ココナッツ論
藪前知子

　ミルク倉庫＋ココナッツは、電気工事、エディトリアルデザイン、土木施工、建築、音響など、特殊な技術を持った作家たちによる集団である。造形作家、画家、音楽家、デザイナーなどと呼ぶこともできるが、しっくりこないのは、その作品の核が、表現形式よりも、それを体系づける技術の可視化にあるからだ。ここにはもちろん、フランシス・ベーコンの定義に立ち返るまでもなく、概念成立の過程で分離されていった「art」と「技術」の関係を再定義する意志もあるだろう。彼らはこれまで、環境の持つ条件や、物体の組成、物事の因果など、自分の外部にあるものがもたらす抵抗に対して、諸技術を発動してきた。そもそも「ミルク倉庫」とは、彼らの共同作業場の名前であり、その場を整えていくことから活動が始まったという。

　彼らが注目を集めた活動の一つに、自らのギャラリー兼アトリエであった築55年の木造建築が取り壊される前に、そこを会場として行った「無条件修復」展（milkyeast、2015）がある。[註] これは、老朽化した建物を舞台に、「修復」という技術にフォーカスした連続展覧会であった。例えば、傾いた梁を持ち上げるための構造物を、立体作品としても知覚されるように提示する。あるいは、建物の原型の復元として、増築されていた最上階を舟として切り出す。作家による場への干渉の全てが「修復」となる地平が示されることで、「創造」と「破壊」という対概念が宙吊りになり、「作品」という概念すら更新される可能性に満ちた機会だった。

　一方で、2015年のこの展覧会は、その後、現在に至るまでオリンピック前夜の東京の各所で間断なく行われることになった、スクラップ・アンド・ビルドの動きに対する批評的な言及でもあっただろう。2019年の東京で、都市というシステムを再検討するこの連続展覧会において、ミルク倉庫＋ココナッツは、人間の最古の技術であるという料理から、それらのテーマを照射しようと試みる。料理、すなわち「家政」の領域は、「国政」に対置される概念であり、ギャラリーに彼ら自らの手によって設えられたキッチンと、それを支えるインフラは、都市の機構のアナロジーとして見ることができるだろう。

　このキッチンで作られ、供されるのは、多文化から発想されたクレオール的な発明料理である。料理とは、物質変化を制御する術であり、遡って、資源、物流、インフラ、地勢、歴史など、都市の諸相を思索することができる媒体である。例えば、ラビオリやコロッケの組成を通して、都市の物理的構造を知る。野菜くずやAmazonのダンボールの転用から都市資源やゴミ問題について、コンフィから電気インフラに言及する。一つの鍋を連日異なる文化圏の料理に転用していく料理に、都市の、パランプセストに比すべき異文化の多重性を考える。こんにゃくを使った代用料理から、都市空間に住まう者の匿名性に、お菓子から、植民地の歴史に思いを馳せる……等々。

　発酵と菌を使った料理は、その場所固有の風土条件とともに、ミルク倉庫＋ココナッツの一貫した興味の一つである、エネルギー変換のモデルを私たちに示してくれる。それを食べるという行為は、料理の物質変化がもたらすエネルギーを媒体にして、身体と都市とを串刺しにすることでもあるだろう。料理を通して、私たちは自らの身体の拡張として都市を経験することができる。残念ながら、この展示では、会場の性質上、料理を食べていただくことができない。しかし、レシピから拡張されたテキストを読むことで、私たちは、食べるという個別的な経験を、宙吊りのまま想像の中で共有する。ちょうど、ギャラリーの中空に設えられたキッチンのように。そうしてみると、クレオール的な多文化料理に焦点を当てた彼らの意図が見えてくるだろう。これらの料理から私たちのうちに仮構されるのは、異なる文化が混在し転用されつつ共存する、もう一つのありうべき都市の姿である。

　ところで、技術とは何かを考えた時、その大きな特徴は、伝達可能性に見出されるだろう。それは反復可能であり、同時に移動可能である。技術を介して、人は旅をすることができるし、個としての自由を得ることができる。料理の技術はその最たるものだろう。そうしてみると、この展示室の地下に設えられたキッチンが、個人の密やかな抵抗の場所にも見えてこないだろうか。料理を介して、人は、政治や宗教や地勢によらない共同体を作ることもできる。技術の交換から新しい協働のあり方を模索するミルク倉庫＋ココナッツのように。まずはこのレシピを持ち帰り、自分の家で再現してみるところから始めてみたい。

[註] ミルク倉庫＋ココナッツと高嶋晋一が共同企画したグループ展。2015年4月のプレ展開催を経て「無条件修復——UNCONDITIONAL RESTORATION」として、二ヶ月に渡りリレー形式にて開催された。

Imagining the City from Within the Kitchen – The Works of mirukusouko + The Coconuts

Tomoko Yabumae

mirukusouko + The Coconuts is a group of artists with specialist skills and techniques in fields ranging from electrical work to editorial design, civil engineering, architecture, and acoustics. While it is also possible to refer to them as sculptors, painters, musicians, and designers, such descriptions seem somewhat unfitting since the core of their work is to visualize the very technology that serves to establish it, rather than pursuing formalities of expression. Without having to revert to definitions advocated by Francis Bacon, there is no doubt an intention here to redefine the relationship between "art" and "technology" that were separated from one another in the process of conceptualization. To this day, the group has implemented various forms of technology in response to the resistance brought about by aspects that lie outside of themselves such as the conditions of the environment, composition of objects, and the consequences of things. "mirukusouko" (milk warehouse) in the first place is the name used to refer to their joint workplace, and thus their activities had begun by organizing and developing this space.

One of the activities for which the group attracted much attention was the *UNCONDITIONAL RESTORATION* (milkyeast, 2015) exhibition that took place in a 55 year-old wooden building serving as the group's gallery/studio space before it was scheduled for demolition.* With this aged building as the setting, the series of exhibitions had focused on techniques of "restoration." For example, a structure used for lifting a tilted beam is presented in a way that enables it to also be perceived as a three-dimensional work. Or, as a means of restoring the building to its original state, the extension part on the top floor is cut out in the shape of a boat. By indicating a horizon in which all spatial interventions carried out by the artists are regarded as a form of "restoration," the opposing concepts of "creation" and "destruction" are suspended, creating an opportunity with the potential of updating even the concept of what defines an artwork.

At the same time, this project in 2015 was perhaps also a critical reference to the scrap and build movements that have since been implemented throughout Tokyo until today in anticipation of the Tokyo Olympics. In this series of exhibitions at gallery αM which reexamines the system of cities in Tokyo in 2019, mirukusouko + The Coconuts attempts to shed light upon this theme through cooking that is the oldest form of technology devised by human beings. Cooking, or in other words, the realm of "domestic affairs," is a concept that is in contraposition to "governmental affairs." In this respect, the kitchen that is installed in the gallery through their own hands, and the infrastructure that supports it, can be regarded as an analogy of urban mechanisms.

What is made and served in this kitchen are inventive creole-esque dishes that are inspired by multiple cultures. Cooking is a technique for controlling material changes, and is a medium that allows one to retrospectively consider various aspects of the city, such as resources, logistics, infrastructure, topography, and history. For instance, viewers learn the physical structure of cities through the composition of ravioli and croquettes. Vegetable scraps and reused cardboard boxes from Amazon are appropriated as a means to contemplate urban resources and garbage waste issues, while electrical infrastructure is referenced through a confit dish. A single saucepan is reused everyday to create dishes from different cultures, and it is in the context of such cooking that viewers are encouraged to turn their minds towards the multiplicity of cultures that is essentially comparable to the urban palimpsest. A substitute dish made with Konnyaku (jelly produced from devil's-toungue starch) contemplates the anonymity of those living in urban spaces, and snacks and sweets serve as a key to reflect on colonial history, et.al.

Dishes that employ fermentation and bacteria, along with local climate conditions, present us with a model of energy conversion –something that has remained a consistent interest for mirukusouko + The Coconuts. The act of consuming this also means penetrating both the body and city, using the energy generated by the material changes in cooking as a medium. Through cooking we are able to experience the city as an extension of our own body. Unfortunately due to the nature of the venue, visitors to the exhibition are unable to feast on any dishes. Nevertheless, by reading the texts that expand on each recipe, we share the individual experience of eating while being suspended in our imagination –precisely as reflected by the kitchen that is installed in midair inside the gallery space. As a result, we begin to see the intentions behind their focus on creole-esque multicultural cuisine. From these dishes we are able to imagine within us another possible city where different cultures intermingle, are diverted, and essentially coexist.

When thinking about what technology is, its most significant feature is indeed its transmissibility, which is both repeatable and mobile. Through technology, people are able to travel and gain their freedom as individuals. The techniques of cooking are a prime example of this. In this sense, doesn't the kitchen in the basement of the exhibition room come to present itself like a quiet place of personal resistance? Through cooking, people can also create communities that do not depend on politics, religion, or topography, just like the way mirukusouko + The Coconuts seek new means for collaboration through the exchange of skills and techniques. As a start, I'd like to take these recipes home and attempt to reproduce them in my own kitchen.

---

* A series of group exhibitions jointly organized by mirukusouko + The Coconuts and Shinichi Takashima. Following a preliminary installment in April 2015, the exhibitions were held in a relay format over a period of two months under the title, *UNCONDITIONAL RESTORATION*.

ミルク倉庫＋ココナッツ × 藪前知子
2019年9月28日（土）19時〜

藪前｜「東京計画2019」は、オリンピックを控え、大きな力によって変わっていく東京に対して、アートがどのようなアクションを起こしうるのかをさまざまなレイヤーで問い直そうという狙いがあります。第4回目はミルク倉庫＋ココナッツの皆さんですが、2015年に企画された「無条件修復 UNCONDITIONAL RESTORATION」という展覧会で皆さんが「場から作品を作る／作品から場を作る」という一つの指針を示したように、「都市から作品を作る／作品から都市を作る」ということが可能かを問いかけたいという狙いがありました。

　ミルク倉庫の結成は2009年ということですが、それぞれ個々のアーティストとして活動されるなかどのような経緯で集まり、ともに活動することになったのでしょうか。

宮崎｜最初からコレクティブでやろうという意識は全然なくて、シェアアトリエとして小平の倉庫を借りたのが「ミルク倉庫」の始まりで、名前も大家が牛乳屋だからと友人につけられたもの（笑）。そのときからのメンバーはもう僕しかいないのですが、その後ここにいる数人とやるようになり、今に至ります。

藪前｜松本さんと西浜さんは「ココナッツ」で、あるとき合流したということですね。

松本｜アトリエとしてのミルク倉庫はもともと東京の小平市にありましたが、坂川くんが中心となり、新たに2011年から八丁堀の築55年のボロボロの元印刷工場を改装しながら、展示ができるスペースとして「milkyeast（ミルクイースト）」の運営を始めていました。ここで2015年に開催した「無条件修復」展をきっかけに合流することになりました。

坂川｜老朽化した古い建物だったので、「修復」を主題に展覧会を企画したんです。梁が腐食して崩れているようなところを素材にして、建物に対して、直接介入することで作品を作る修復班と、これとは別に、ゲストの作家にもそれぞれ修復をテーマにした作品を制作・展示してもらいました。

松本｜「無条件修復」展以前から床のコンクリートを叩き直して柱もクリーニングするなど、大掛かりな補修をしたのですが、その過程を記録したドキュメントも残し

ていたので、milkyeastというスペースを、会場でもあり、作品やプロジェクトでもあるというかたちで展覧会として提示できないかと、僕と宮崎さん、高嶋晋一さんというアーティストの3人で「無条件修復」展を共同企画したのが最初のきっかけでした。ただ、自覚的にコレクティブとして集団で制作を始めたのは本当にここ最近で、特に「清流の国ぎふ芸術祭 Art Award IN THE CUBE 2017」（岐阜県美術館）以降とかですかね。

藪前｜活動のなかで、コレクティブのアイデンティティは、どう固まっていったのですか？

宮崎｜展示ごとに毎回変わる／変わらないというのが両方同時に発生するので確実にあるのですが、言葉にするとどうだろう。

藪前｜皆さん特殊な技能をお持ちなので、その技術の結集や交換が一つのテーマなのでは、と思いましたが。

松本｜それも一つのテーマですが、実際制作していると全然違った問題が毎回出てくるので、それに対して、プロの技術者というより素人的な持ち合わせの技術や知識を使って、「その場をどうしのぐか」というほうが強くなる。「プロだからここまでできる」ではなく、「プロだったらたぶんやらないことを、この技術を使ってやってみる」というノリに近いかもしれない。

宮崎｜プロとしての仕事じゃなくて、プロだと思っていたけど素人になってしまうような、技術がズレていくところが出てこないと制作にはならないのかなと思います。それが一番のアイデンティティではないですけど。

藪前｜自発的に制作するというよりも、私も含め皆さんに期待する人たちにお題を投げ込まれて、それに応答していくというところもあるように思います。この間の「タイムライン ──時間に触れるためのいくつかの方法」展（京都大学総合博物館、2019）も、自発的な制作と発注仕事、あるいは技術と制作の中間と言ってもいいかもしれませんが、面白い関わり方ですよね。個々の制作とコレクティブでの制作の違いはどこにあるのでしょう。

宮崎｜前は結構分けていたのですが、今はあまり分けな

くなってきています。普段からお互い LINE でアイデア
を投げていて、「じゃあ、あのとき話していたネタをや
ろう」という感じで、投げて拾ってを繰り返して自然に
かたちができてくる感じです。

藪前｜コレクティブというと、社会に対して戦略
的に打ち出すようなところがありますが、そうい
う感じではない？

宮崎｜ないです（笑）。

松本｜ただ、シェアアトリエというのも、ネガティブな
意味での生存戦略かもしれません。経済的問題として人
数が集まらないと大きな場所は借りられない。そして物
理的問題として、複数いなければ、大きな作品などは運
べない。こうした意味において、非常に消極的だけれど
も結果として、戦略的にコレクティブのかたちをとって
いる、と言えるかもしれません。

藪前｜今回の展示を見ても、情報量、技術的な規
模も含め、一人のアーティストにはとてもできな
い、コレクティブだからこそ可能な展示をされて
いるように思います。今回は料理とともにレシピ
が展示され、「タイムライン」展と同様に、作家に
よる説明文と、事物を並べる博物館的な展示をさ
れていますが、都市というテーマから料理という
テーマやこの展示形式に辿り着くまでに、どのよ
うなディスカッションを行うのでしょうか。

宮崎｜「タイムライン」展では、自分たちが作る物理的
なモノを外から記述し直すことが、博物館という会場の
性質に合っていたので意図的に合わせたのですが、今回
は意識的に選んだというより、やれることをどうやるか
考えた結果として、こうなった感じです。初めは「○○
都市」というように、くだらないものも含めて大喜利的
な感じで話し合いました。あと URG さんも言っていま
したが、お墓の案も出てきましたね。防災や、東京に流
れる川なんかもアイデアとして出ました。

松本｜ただ、「無条件修復」展のときは立地的に川や埋
立地がテーマになりえたのですが、この空間はホワイ
ト・キューブ然としているのでそこから何かを読み込む
のは難しい。そうなったときに何ができるのか、と話し
ました。

藪前｜最終的に料理をモチーフとすることになり
ましたが、以前も「路地と人」での企画「ミルク
倉庫の出張台所」（2011）で、料理を実際に出す活
動をしておられましたよね。

宮崎｜あのときは、「路地と人」のなかにキッチンを
作ってもぐりの居酒屋をやるというコンセプトで、「作
るものとしての料理」と「それが作られる場所としての
キッチン」をワンセットで創出して、さらに料理を提供
し食べてもらうということをしたのですが、今回はそれ
とは少し違う視点から始めています。

田中丸｜「東京計画」の「計画」、つまりプランという
問題も、どのように扱うのかが重要だという話もしまし
たよね。

松本｜そうだね。料理にとってのプランとはベタに言え
ば、レシピなどですね。あとは、やはり都市が成立する
要素をピックアップしたときに、料理には流通や地方と
都市の問題といったものを包括的に語れる視座が含まれ
ていて、料理なら全部語れるのでは、と思いました。だ
から今回は、まずは料理があり、それができるインフラ
として台所が出てきた感じです。

藪前｜さらに台所から遡って都市に戻っていくと
いうことですね。
　今回のレシピを読み解くと、一つひとつがあま
ねく問題系を網羅しており、打ち合わせ段階でも
家政学の観点から、古今東西、新旧合わせて幅広
い膨大なリサーチをされていました。皆さんで手
分けして進めるのですか？

松本｜最終的に同じ方向を向くように、その都度、レ
ジュメなどにして情報共有はしますが、それぞれ投げて
拾っていく感じです。

宮崎｜料理は、いわゆる「現代美術」ではないほかの
ジャンルということもあり、きちんとした態度をとりた
かった。現代美術にすることで、「記号的な操作をして
食えるか食えないか問わない」となるのは嫌で、それが
リサーチや調べ物に結びついたのだと思います。結構怖
かったんですよね。テーマを決めた後も、これは「料
理」に対しての文化盗用にならないかな、など考えまし
た。

藪前｜クレオール料理と簡単に書いてしまいまし
たが、そう言っていいのか。クレオール料理と
は、ルイジアナの伝統料理ですよね。

宮崎｜「クレオール」は宗主国に対して植民地側を指す
概念的な言葉ですが、「クレオール料理」だとそういう
背景を経て生まれたルイジアナ伝統料理を指す固有名
詞になりますね。藪前さんとの展示前の打ち合わせで
は、クレオール料理的とお話ししましたが、クレオール

は宗主国があり、支配者と被支配者の関係の文脈でできるものなので、僕たちのはそれとは違うけれど、発想のもとにあるのはそういう多国籍混交料理を考えるということ。でもそれだと、「この国とこの国を合わせてどうなるか」という記号的な操作になりがちなので、どうやってそれを解除するかを考えたときに、マテリアルを使うことの重要性が出てきた。いろんな文脈が結果的に「料理」という一つのマテリアルになることが、一番の肝になっているのかもしれないです。

松本｜国というとどうしても表象的操作に終始してしまうので、クレオール料理というイメージも、とりあえず括弧に入れて、それとは異なるどういった文脈を重ね合わせることができるかに焦点を当てようと試みました。基本的に造形をやっている人間たちなので、工程の問題や、素材の物質性をどう扱うのか、さらに、それらが味覚という経験につながる、ということも含めて、これらと都市が絶対に結びつくだろうと思いながら、まずは料理を作ることからやろうという姿勢で挑みました。

薮前｜物質化することで文化盗用の問題を避けるということを具体的なレシピでお話ししていただけますか？　田中丸さんの転用料理《ここはどこ？　わたしは鍋》でしょうか。一つの鍋料理から始まり、毎日少しずつ素材を移し替えて複数の地域の料理に変えていく、とても複雑な操作がなされるレシピですが、最初は日本の沢煮椀から始まっていますね。

田中丸｜沢煮椀自体が近代に西洋のスープ文化が輸入されたことでできた料理なので、そこを起点に日本から離れて、食の文化圏が混ざり合っていけば面白いかなと。スープという形式を通すことによって、前の日の素材の文化圏的なディティールが強く現れたり、はたまた溶け合っていくという変質が見えてきます。ひいては、それが深みのある味わい、つまり味覚という経験につながる。

宮崎｜レシピを読むとわかるのですが、単に残り物に足してミックスしていくのではなく、2日目にはスープから特定の食材だけを選り分けて、3日目には使わず4日目のために取っておく、という複雑な操作をしている。料理として複雑な味になるように、個々の素材のディティールが残る操作をする態度をとることで、単なる盗用にならないようにしています。

田中丸｜制作では、完成品を一度解体して素材のレベルに戻すことや、完成した料理を選り分けることに対する抵抗感のようなものもどこかにありました。でも、例え

ば都市の問題でも、名建築などは特にそうですが、古い建築を壊して新しくリフォームするような変化に対して、こちら側の抵抗感があるわけです。そういうことも思い起こしつつ、それでも変化させていくのはどういうことなのかを考えながらやっていました。

薮前｜個々のレシピについて伺いたいのですが、宮崎さんはどの料理を？

宮崎｜僕は《 '保存' の行方》というコンフィのやつと、《火のないところに菌は立つ》という水キムチのやつと、《成功したもどき料理》というこんにゃくのやつと、《発酵連合》と、《陣取りゲーム／反転する敷地料理》というピーマンのやつですね。

薮前｜発酵や菌に関わるものが多いですね。アートと食は世界的にもホットな話題で、なかでも発酵は注目されていますけれど、その文脈を意識されたのでしょうか？

宮崎｜文脈を意識したというより、僕は料理を作るときは味の相性をどう組み立てるかを第一に考えていて、結果的にテキストを書くときに、「俺、結構発酵をやっているな」と。

薮前｜宮崎さん個人の作品では物質やエネルギーの変化をテーマに制作されていたと思いますが、そのあたりの興味の反映を読み取っていいのでしょうか。

宮崎｜読み取ってもらっていいと思いますけど、ほかの人は発酵をやっていない？

松本｜まあ、宮崎さんが発酵をやるだろうなと。今回転用料理を含めると17レシピあるのですが、構想の段階でそれぞれ何となく担当分けをしました。料理は作らないとどんな味になるのか、どんなところで問題が起きるのか、まったくわからないので、超並列的に実験できたという意味では頭数が多くて良かったです。

薮前｜歴史や都市の構造など、いくつかのテーマに分けられると思うのですが、どのように振り分けられたのですか？

宮崎｜テーマより、レシピが先ですね。僕は料理ベースで考えて結果的にどうなるのかを考えたのだけれど、上手いこと都市に絡めて書いた松本くんのテキストに刺激を受けてから、作り方だけではなく、二次情報をどう記述するのかを想定するようになりました。料理を作る

ときに、よりコンセプトが重要になる感じは個人的にはスリリングで、この料理をどう捉えて記述すると、料理として可能になるか、というのがテキストになっています。

松本｜お高いようなレストランでは、料理の一品一品について説明してくれるように、料理というフォーマット自体に口上があると思うのです。このフォーマットに乗るとしたら、この展示でもここに合わせた料理が出されるべきですよね。そもそも、なぜ都市で料理をやろうと思ったかといえば、料理と都市との間に近似的な問題が絶対にあると思ったからなのですが、料理だけで考えると無限にバリエーションができてしまう。「にもかかわらず、なぜこれなのか」という必然性がある料理を選ぶために、精査しました。

薮前｜このレシピが面白いのは、例えば、こんにゃくを食べながら戦後の食糧難時代の代用品の話を経て都市生活者としてのわれわれについて思いを馳せるような言及があるように、作り方だけでなく食べる経験などにも触れているからだと思うのですが、最初から想定して料理を作るのではなく、後から記述していくのですか？

宮崎｜最初から何となく、想定はしているのですが、明確に言語化しないまま作るほうがいいというか、最初から都市と結びつけようと考えた料理は、うまくいかなかったんですよ、味的に。概念的操作だけが、先走るというか。料理やレシピとして狙っているところにうまくいったな、というものを言葉にしていくほうが意外と良く記述できました。料理とテキストの関係で、個人的にはそれが面白かった。

薮前｜ではボツになったレシピがあるのですね。そこではどういう判断をされたのでしょうか。

宮崎｜実験の時間が足りなくて料理としての精度が上がらないとか。

松本｜バリエーションにしか見えないものは、同じ問題を扱っているとして省いています。

薮前｜坂川さんはどうでしょうか？

坂川｜都市の問題ではないけれど、地層を反映した料理を考えたいと思い、ビリヤニは層にして炊き込むのが面白い操作だなと思ったのですが……最終的には《聴く、砕く》のタフ・ディーグになりました（笑）。

薮前｜インダストリアル・ミュージックなど音楽についての言及もありますよね。今回の味覚も含め、ミルク倉庫＋ココナッツの活動には、スペクタクルや視覚性とは異なる領域を掘り起こしながら、それでも造形芸術・美術であり続けるようなところがあると思います。

宮崎｜たぶん美術というのは一回外してやっています。

篠崎｜マテリアルレベルに戻すというか、「物の作り方」とか「物のでき方」とか、そういうことに興味があるので、それを分析するというか、実験して試してみる感じです。例えば、物がどう壊れるのかとか、溶けていくのかとか。全員そういう意識を持ってやっていると思うのですが、それって絵具があってどうこうという話じゃなくなるので、それでそういうイメージを抱かれているのかなと思います。

薮前｜西浜さんは音楽の分野で作品を作られていますが、活動に合流されるうえでどのようなモチベーションがありましたか？　どの料理を担当されたのでしょう。

西浜｜料理は、ガレットの《Between pressure and pressure》ですね。一応、僕は音楽をやっているつもりで毎回やっています。どこがと言われると難しいのですが。

薮前｜コロニアリズムに言及されている料理ですよね。

西浜｜先ほど批判されましたけど、僕は徹底して記号操作をすることでマテリアル性を出そうとしています。共有されるコンセプトはあるのですが、別々の人間だから、やっぱりズレていたほうが面白いというか。「なんかお前の料理ズレてるんだよ」と言われるのですが、僕は意図的にスクラッチする役として頑張って、ちょっと困らせることを意識してやりました。

薮前｜バグ的な感じかな？　ミルク倉庫＋ココナッツというと、マテリアルへの介入や変化をテーマにしている印象が強いと思うのですが、そこに西浜さんはまったく別の思考を挟んでいるのですね。

宮崎｜でも西浜さんがマテリアルに興味がないという状態が一番マテリアル的なんですよ。出してくる物も、ほかの人より一番マテリアル感のあるものを出してくるから、「それを記号として出すには一番マテリアルに敏感

じゃないと記号として出せないよ」みたいな。

西浜｜そこは意識してやっているところでもあると。

薮前｜今回の展示も、料理の現物を置くというのは、食材が料理へとマテリアルとして変化することも含めて重要ということでしょうか。皆さん交代でいらして料理を作り直してくださるのですが、実際に来館者の方に食べていただくことは運営上叶いませんでした。それでも食品サンプルや写真などのほかの方法ではなく、現物を展示するのですよね。

宮崎｜そうですね。あと、今日来た人から「物を見てテキストを読むと、最初に見た物からどんどん印象がズレていく」という感想をいただきました。要は、料理された物を見たときは、匂いや見た目から自分でイメージしてしまうけれど、レシピのテキストを読むと、読む前に想定していたものと全然違っていて、物とテキストが一致せずに、どんどんズレていく。そういうことも含めて、両方あるという形式が重要だと改めて思いました。その場で調理し提供し、さらに食べてもらうというスタイルではなく、結果的に、調理されたものが展示されているということに対しては、さまざま思うところはあるわけですが、そのように見てもらえたというのは良かったかなと思います。

薮前｜テキストにも書きましたが、私は皆さんの活動を、現在の社会状況に対する個人のアクションの一つのかたちであると考えています。都市というテーマに戻りますと、この展示から私たちはどのような「ありうべき都市のかたち」を受け取るべきでしょうか。

松本｜そうですね、そもそも都市というときに、なかなか良いイメージが持ちにくいのかな、というのがまずありました。今回ひとつ、クレオール料理を挙げているのは、都市であるかぎりは外からいろんな物や人が入ってくる、あるいは都市が、外部から吸い上げる、ということが前提になっているのですが、もしかしたら、逆にわれわれが外に出ていかなくてはならないかもしれない。その可能性を含めて、都市というものを考えられないか、というのがありました。

宮崎｜今回料理を作る基準として、「美味しい」からちょっとズレる、というのがあるのですが、レシピを考えているときは毎日変なものを食わなきゃいけなくて、その違和感を味覚のなかでどう位置付けるのかという感覚を常に鍛えなくてはいけなかった。「逆にわれわ

れが外に出ていく」というのは、そういう感覚が必要なのかなと。もともと自分が持っている感覚に対してズレることがたくさん出てくると思うのですが、それをどうするか考えながら、その都度、判断をしなくてはいけなくなるのだと思います。料理やその味によって、舌のみならず、自身が構成し直されるというようなことです。

薮前｜テキストにも、技術は移動可能と書きましたが、そこにミルク倉庫＋ココナッツのラディカルな部分があると思っています。直接に政治的なメッセージを示すのではなく、数々の状況に代用できるような思考の枠組みを提示していく活動の仕方を選んでおられます。そのあたりはどう意識されていますか？

宮崎｜作品で直接的に言いたいということはないですね。作品にするには、それをどこかで超えないといけないと思っています。今は、何かしらリアクションをしないといけない状況ではあると思うけれど、それに対する距離のとり方というのは難しくて、直接的に作品化するものではないかなと。

松本｜でも、薮前さんに言っていただいたように、ある出来事に対して、直接的ではないかもしれないけど、その状況に対して代用できる方法を提示するつもりで、常に作っているよね？　例えば「作品」というのは、その一つひとつがほかでもない「例外」であるし、その例外的事象としての作品が、逆に「範例」として、ほかの事象に対峙できる術を導くような。

宮崎｜あるオーダーに対して、それだけを考えて答えるわけじゃない。作品を作るときって、マテリアルを使うと全然違う問題がいっぱい出てくるから、それをどう調停するかのほうがむしろ政治的だと思うんです。政治的な何かに対して直接的に明示的なメッセージを言うのではなく、むしろそこに何かを言うための、「言う」ということに含まれているメディア性を組み込んでやらないと、普通に絡めとられるだろうなと思います。

薮前｜ミルク倉庫＋ココナッツの提案には、常に、世の中のあらゆる問題を投影できるような幅があり、今後の活動も大いに楽しみです。では、会場から何かご質問などありますか。

質問者1｜展覧会のオペレーションとしては、見る人が料理を食べられない今の状況が着地点ですか。今後は食べられるようになるのでしょうか。

薮前｜当初は食べていただく予定でしたが、施設

の性質上、公共的な催しとして皆さんに食べていただくことはレギュレーションとして叶わず、この展示形式となりました。でも交代で週２回いらして、作り直してください。

宮崎｜今回はテキストとセットにして、レシピをあえて提示している、というのが一つの重要な点です。味覚の経験の記述などもそうですが、レシピを持ち帰ることで、自分で料理を作ってもらえる。そこが「タイムライン」展のコンセプトの「どう記述し、再現性をどう確保するか」という形式を引き継いでいると思います。

藪前｜「技術は伝達可能」ということがすごく重要ですね。レシピを持ち帰り、自分たちで作れるということが、今回の展示の肝になっています。

質問者１｜ただ、人は食べ物を前にすると動物的な感覚が働いて興味を持つと思うので、目の前にあるのに食べられないという状況ではオブジェに対して興味が遠のいてしまうと思ったのですが。完成品として味も美味しいものを作っているのですよね？

宮崎｜食べられるものにはなっていると思うのですが、味覚は保守的なところもあるので、僕としては美味しいからちょっとズレる、ということを狙い目にしました。

藪前｜味覚は開発され変わるといいますが、料理を通じて身体が変わり更新されることもあるということですね。

田中丸｜今回のタイトルを「tonguetable」としたのも、味覚の言語性について考えていたから。例えば「出汁が足りないな」と思う場合、「出汁」という語彙が、僕たちの味覚の体系のなかに存在するわけです。あるいは海外料理を食べたとき、形容する語彙がないのに、何らかの味のネットワークがあると思えるときがある。これは普段の味覚の体系から離れて、別の体系を組み上げ直している状態じゃないかと。そんな感じに、慣れ親しんだ語彙が無効化され、いまだ定まらないにもかかわらず、別の味覚の体系を予見させるようなものが出せたら面白いかなと。

宮崎｜何を食べているかわからないときに、その味を説明する言葉を探すと、何に似ているとか、ありがちな表現に着地しがちで、保守性がある。だから簡単に「美味しい／不味い」と決められないと思いながら作っていました。

田中丸｜それと、いろんな文化圏にある風土的な要素で決まる味の必然性のようなものがあると思うのですが、それは、「美味しい／不味い」ということからは、外れると思います。その外れ具合がどのような必然性を持っているのかについても考えていました。

藪前｜各地で必然的に培われてきた味から、土地を考えるということですね。今回は、味の記述をはじめとしたテキストを読むことや、レシピを持ち帰れることで、リクリット・ティラヴァニをはじめ、未来派から続くこれまでのフードの歴史・事例とは違う角度から料理を展示していらして、コミュニケーションやコミュニティの問題といった、これまで料理が美術で紹介されてきた文脈とは違うものが提示できたのかなと思います。

宮崎｜あと、食べてもらう前提だったら、レシピは変えているかも。要するにサービスや提供という問題が入ってくるから、それからも少しズラしたいというのがある。

藪前｜それはエコノミー的な意味ですか？

宮崎｜いや、エコノミーというより、単純にもっと食えないものを出してやろうとか、極端な考え方も出てくる可能性はある。

松本｜よりパフォーマティヴになる可能性はあります。この展示では順番関係なくランダムにレシピにアクセスできますが、実際に料理を出す場合はオーダーの問題が出てくると思うので、出される料理のタイミングの操作や、その順序の構成によって、さらに感覚を変容することができるという問題が入ってくると思います。

藪前｜本日はここまでにしたいと思います。今日はありがとうございました。

ミルク倉庫＋ココナッツ

2009 年に結成したミルク倉庫に、2015 年よりアーティストユニットのココナッツが加わり、現在は
7 名でミルク倉庫＋ココナッツとして活動。メンバーそれぞれが、建築系技術をはじめとして、電設
技術，音楽，エディトリアルデザインなどの専門的な技能を有し、自ら共同のアトリエや、展示・イ
ベントスペース／住居として「milkyeast」（2011-2016）の改修や改装をおこない運用。
ものに備わる潜在的な機能の発見や、道具と身体の連関から着想し制作をおこなう作品を特徴と
し、展示やイベントなどの企画もおこなう。
メンバーは、宮崎直孝（1974-）、坂川弘太（1976-）、篠崎英介（1980-）、田中丸善一（1984-）、瀧口博
昭（1974-2016）、西浜琢磨（1978-）、松本直樹（1982-）。

主な個展

2019 「東京計画 2019 vol. 4 ミルク倉庫＋ココナッツ　scratch tonguetable」gallery αM（東京）

2019 「それらはしっかりと結ばれていて、さらに離れたキャビネットに閉じ込められています——
　　　それでも、物は動かされ、音楽は演奏されます。」blanClass（神奈川）

2017 「Chewing Machine チューイングマシーン」S.Y.P. art space（東京）

2016 「家計簿は火の車」3331 GALLERY（東京）

2011 「ミルク倉庫の出張台所」路地と人（東京）

主なグループ展

2019 「タイムライン——時間に触れるためのいくつかの方法」京都大学総合博物館（京都）

2017 「清流の国ぎふ芸術祭 Art Award IN THE CUBE 2017——身体のゆくえ」岐阜県美術館（岐阜）

2011 「所沢ビエンナーレ '引込線' 2011」旧所沢市立第 2 学校給食センター（埼玉）

主な企画

2016 「Self-Reference Reflexology」milkyeast（東京）

2015 「無条件修復 UNCONDITIONAL RESTORATION」milkyeast（東京）

2015 「ミルクイーストパブナイト——イン・タヴァン・エールハウス」milkyeast（東京）

受賞歴

2017 「清流の国ぎふ芸術祭 Art Award IN THE CUBE 2017」大賞受賞

2016 「Art Fair 2016 - Various Collectors Prizes」3331 Arts Chiyoda 賞 Silver Prize 受賞

mirukusouko + The Coconuts

mirukusouko (Milk Warehouse) was formed in 2009. Due to the art unit The Coconuts having joined in 2015, currently there are seven members working as mirukusouko + The Coconuts. The members are Naotaka Miyazaki (b. 1974), Kota Sakagawa (b. 1976), Eisuke Shinozaki (b.1980), Zenichi Tanakamaru (b.1984), Hiroaki Takiguchi (1974-2016), Takuma Nishihama (b.1978), and Naoki Matsumoto (b.1982).

Each member has specialized skills such as building techniques, electrical installation technology, editorial design, music, etc., coming together to form a medieval-guild-like organizational structure, which does not draw boundaries between artists and technicians. Their works are characterized by the discovery of potential functions of things and draws inspiration from the connection between tools and the body. From 2011 to 2016, they also ran an alternative space called "milkyeast" in Hatchobori, Tokyo, where they organized an held a series of exhibitions.

Selected Solo Exhibitions

2019   *Plans for TOKYO 2019 vol. 4 mirukusouko + The Coconuts: scratch tonguetable*, gallery αM, Tokyo

2019   *They are bound together securely, then locked in their remoter cabinets —
and yet things are moved, music is played and so forth.*, blanClass, Kanagawa

2017   *Chewing Machine*, S.Y.P. art space, Tokyo

2016   *Inventory management is a running hot chariot.*, 3331 GALLERY, Tokyo

2011   *mirukusouko's Traveling Kitchen*, (worked as "mirukusouko") Roji to Hito, Tokyo

Selected Group Exhibitions

2019   *TIMELINE: Multiple measures to touch time*, The Kyoto University Museum, Kyoto

2017   *Art Award IN THE CUBE 2017, Gifu Land of Clear Waters Art Festival*,
The Museum of Fine Arts, Gifu

2011   *Tokorozawa Biennial of Contemporary Art: Railroad Siding 2011*, Saitama

Selected Projects

2016   *Self-Reference Reflexology*, milkyeast, Tokyo

2015   *UNCONDITIONAL RESTORATION*, milkyeast, Tokyo

2015   *milkyeast pub night—Inn, Tavern, Alehouse*, milkyeast, Tokyo

Awards

2017   Grand Prize from Art Award IN THE CUBE 2017 at *Gifu Land of Clear Waters Art Festival*

2016   3331 Arts Chiyoda Silver Prize at *3331 Art Fair 2016—Various Collectors Prizes*

Photo by Azumi Kajiwara

正島晴矢

Haruya Nakajima

東京を鼻から吸って踊れ

Sniff Tokyo, and Dance

ステートメント
東京を鼻から吸って踊れ

「たいそう寂しいうちね」

「普請中なのだ。さっきまで恐ろしい音をさせていたのだ」

「そう。なんだか気が落ち着かないようなところね。
どうせいつだって気の落ち着くような身の上ではないのだけど」

———森鷗外「普請中」

　関東大震災後、帝都復興計画を構想した後藤新平により東京の市政顧問として招聘された政治学者チャールズ・ビアードは、「東京は一個の都市というより、むしろ沢山の村の集合体だ」と評した。

　なるほどその通りだろう。江戸以来開発され、明治維新に伴い首都になってからも、数多の「災害と祝祭」に付随する都市改造を繰り返し、スプロール状に拡大してきたのが東京だからだ。それゆえ、歴史的・地理的・政治的・文化的……あらゆる局面において膨大な広がりを持つ〈東京の全体像〉を描くのは、ほとんど不可能に近い。

　本展は、その中から私が個人的にフォーカスした、東京のある側面の断片的なスナップだ。佐多稲子に倣って言えば、「私の東京地図」である。しかも、対象は変化し続けている。「スクラップ ＆ ビルド」という和製英語もいいが、森鷗外が書いたように「普請中」という言葉がぴったりくるのではないだろうか。そう、東京は常に普請中の街なのだ。

　各作品に通底するのは、「挽歌の響き」（サイデンステッカー）かもしれない。永井荷風が下町の江戸情緒に見出したような、失われゆくものへの郷愁である。だが、もちろん安易なノスタルジーに固執しているわけではない。私は今、2019年の「ココ東京」を描写したいのだ。

　そもそも、アートが都市に対して為しうるのは、政策的な「都市の再編」ではなく、リアルな「都市の記述」ではなかったか。だからこそ、自らの足で街路＝ストリートを逍遥しながら視えてきた風景、あるいは歴史の縦軸を辿る中で照射されたイメージを通して、今日の東京を問う（TOu-KYOu！）のである。

　言うまでもなく東京は、2020年代に向けた再開発の真っただ中にある。とはいえ、世界で最も先端的だったらしいこの街も、いまや停滞して久しい。にもかかわらず、東京、もっと言えばこの国は、日々増殖する未収束の被災地を捨て置いて、五輪と万博による輝かしき近代の〈祭宴の再演〉に躍起になっている。

　そんな東京の「都市計画」を破壊したいという欲望を、私は禁じ得ない。

　林立するタワーマンションや複合施設に象徴されるように、経済原理追求の結果、偶然性が排除され、どんどん息苦しく、不寛容に、排他的に……要するにつまらなくなっているのは、都市空間だって、情報環境だって、時代の空気だって同じだろう。

　メタボリズムの起源にあたる丹下健三の「東京計画1960」は、東京湾に線形の海上都市を建設するという、夢想的な「インポッシブル・アーキテクチャー」であった。

　私もまた夢想する。粉々に砕かれた東京を。その粉末を。それらを鼻から吸ってハイになることを。そして、路上で勝手に踊ることを。

　その意味で、これは私の「東京計画」である。

　ディケイドとディケイド、元号と元号に挟まれた間隙に———東京を鼻から吸って踊れ。

中島晴矢

Artist Statement
Sniff Tokyo, and Dance

"It's very quiet here, isn't it?"

"It's under reconstruction. They were making a terrible noise when I arrived."

"Oh, that explains it. The place does give one rather an unsettled feeling.

Not that I'm a particularly calm sort of person at best."

— Ogai Mori, *Fushinchu* (Under Reconstruction)

Charles A. Beard, a political scientist invited as a civic consultant to Tokyo after the Great Kanto Earthquake by Shinpei Goto who devised the Imperial City Reconstruction Plan, had described Tokyo as "a collection of many villages rather than a single city." Indeed, this is true. Having developed from the city of Edo, and even after being established as the nation's capital due to the Meiji Restoration, Tokyo has continued to expand in a sprawling manner through repeated urban remodeling in association with numerous "disasters and festivities." It is therefore almost impossible to draw out an "overall picture of Tokyo" that itself harbors a vast expanse in all aspects historical, geographical, political, and cultural.

This exhibition is a fragmentary snapshot of a particular aspect of Tokyo that I personally focused on. To quote the words of Ineko Sata, it is "My Tokyo Map." What is more, the subject in question is constantly undergoing change. The Japanese-English phrase "Sukurappu ando Birudo (Scrap & Build)" seems like an optimal description, but perhaps more fitting is the term "Under Reconstruction" as articulated by novelist Ogai Mori. That's right. Tokyo is a city that is always under reconstruction.

What perhaps underlines each work are the "sounds of an elegy" (Seidensticker). It is the nostalgia for things that are lost, as writer Nagai Kafu had discerned in the atmosphere of Edo that permeated the city's downtown district. That being said, I by no means intend to adhere to such facile nostalgia. What I wish to depict is "Koko Tokyo" –Tokyo, here and now, in 2019.

Doesn't art in the first place serve to present a real "description of the city" rather than being a political measure for "reorganizing the city?" That is why we question Tokyo today (TOu-KYOu!) through the landscapes that we witness as we walk the streets on our own feet, or through the images exposed while tracing the vertical axis of history.

One need not say that Tokyo is in the midst of redevelopment going towards the 2020s. Nonetheless, this city, once seemingly regarded the most advanced in the world, has long found itself to be in a state of stagnation. Despite this, Tokyo, or more specifically, this country, while disregarding disaster-struck regions that remain unsettled and continue to increase day by day, is eager to "reenact the festivities" of the brilliant modern era through the Olympics and World Expo.

I cannot dismiss the urge to destroy such "city plans" of Tokyo.

As symbolized by the plethora of high-rise apartments and complex facilities, as a result of pursuing economic principles, fortuity is eliminated, making things more suffocating, intolerant, exclusive, or simply, dull and boring. This is true not only for urban space, but also the information environment, and for the atmosphere of the times.

Kenzo Tange's "A Plan for Tokyo, 1960" that lay at the origins of metabolism, was a revered proposal for "impossible architecture" that envisioned building a linear floating city upon Tokyo Bay.

I too, have a vision. It is a vision of a shattered Tokyo. Taking its shards that have been crushed into a fine powder, sniffing them through my nostrils, and becoming high. Dancing freely as I wish on the streets.

In this sense, this is my very own "Plan for Tokyo."

In the gap between decade and decade, era and era –sniff Tokyo, and dance.

Haruya Nakajima

上．《Shuttle RUN for 2020》2017
above：「Shuttle RUN for 2020」2017
下．《Shuttle RUN for 2021》2019
below：「Shuttle RUN for 2021」2019

《Tokyo Sniff》2019
「Tokyo Sniff」2019

CLOSE WINDOW   COPYRIGHT   HARUYA NAKAJIMA   2019

《Close Window》 2019
‘Close Window’ 2019

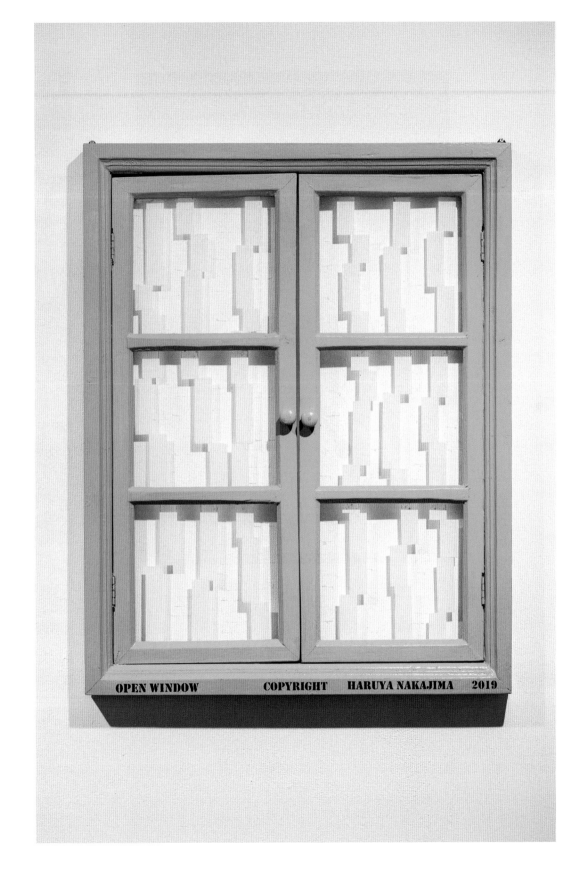

OPEN WINDOW   COPYRIGHT   HARUYA NAKAJIMA   2019

《Tokyo Suicide Girl Returns》2019
'Tokyo Suicide Girl Returns' 2019

《New World Border —OLYMPIA1896—》 2018
「New World Border —OLYMPIA1896—」 2018
《New World Border —OLYMPIA1936—》 2018
「New World Border —OLYMPIA1936—」 2018
《New World Border —OLYMPIA1964—》 2018
「New World Border —OLYMPIA1964—」 2018
《New World Border —OLYMPIA1972—》 2019
「New World Border —OLYMPIA1972—」 2019
《New World Border —OLYMPIA1980—》 2019
「New World Border —OLYMPIA1980—」 2019
《New World Border —OLYMPIA1984—》 2019
「New World Border —OLYMPIA1984—」 2019

《Tokyo Barracks》 2019
'Tokyo Barracks' 2019

左.《芝浜駅》2019
left. 'Shibahama Station' 2019

右.《high school emblem》2019
right. 'high school emblem' 2019

《TOKYO CLEAN UP AND DANCE !》 2019

《普請石》2019
'Stone under Construction' 2019

《high school emblem》 2019
「high school emblem」 2019

《EED —Empty Emperor Donut—》 2019
「EED —Empty Emperor Donut—」 2019

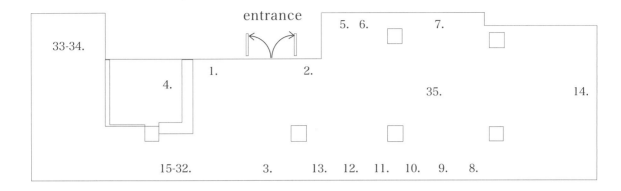

1. high school emblem
地区：港区麻布

　私の「東京の原風景」は、中学高校時代、横浜市のニュータウンから通った、山の手にある麻布である。学校の校庭からは、東京タワーを右手に、ちょうどニョキニョキと伸びていく六本木ヒルズを左手に眺められた。

　麻布という地名の由来は諸説あるが、かつてこの地に麻を多く植え、布を織り出していたところからきているそうだ。麻と言えばマリファナだが、麻布にはたくさんの大麻が生い茂っていたのだろうか。

　2018年からカナダで娯楽目的の使用が合法化されたように、大麻は世界的には解禁の流れにある。一方日本では、未だに大麻の所持は重大な犯罪として取り上げられる。もちろん単純に礼賛するつもりはないが、少なくとも私には、同じ植物がある土地では合法的な嗜好品で、ある土地では非合法な薬物だという区分に、合理性を感じられない。それはどこか、他校にはないのに自校にはある、理不尽な校則みたいだ。

　幸い、学園紛争の名残で母校に校則はなかった。有栖川公園を上がった丘にある校門にはいつも、麻の葉文様に「高」と書かれた校章が掲げられていた。

Hemp leaf pattern "high"

2. 普請石
地区：中央区銀座

　明治43年に発表された森鷗外の「普請中」は、官吏である渡邊と、彼がドイツにいた頃の恋人だった女が、京橋区木挽町（現・中央区銀座）で会食する短編小説だ。

　渡邊と女が訪れる築地精養軒（後に関東大震災で焼失）は、「普請最中」、すなわち改築工事中であり、大工たちが釘を打つ音や手斧をかける音が騒々しく聞こえてくる。この舞台設定が、近代国家を建国途上である明治期の日本のメタファーなのは自明だ。渡邊の言葉を借りれば、「日本はまだそんなに進んでいないからなあ。日本はまだ普請中だ」ということになる。

　そんな東京及び日本は、令和になった今もなお「普請中」だ。祝祭と開発はコインの裏表で転がり続けている。何より、一見すると落成したからに見える近代建築もまた、その内実において、前近代的な骨組みを手つかずのまま残していると感じる事柄は、枚挙にいとまがない。

　ふと周りを見渡せば、多くのビルやマンションに、「定礎」と書かれた石板が埋め込まれていることに気づく。このプレートは、建物の竣工時に設置されるそうだ。しかし、この街にもこの国にも、〈完成〉なんてないのではなかったか――。であるとすれば本来、石板には「定礎」ではなく、「普請中」と彫られていなければならないはずだ。

3. Tokyo Sniff
地区：新宿区西新宿

　東京の政治的なシンボルは、どうしたって東京都庁舎になるだろう。

　1991年に丸の内の旧都庁舎から新宿副都心へと移転した現都庁舎は、都の行政の中枢機能を担っている。新旧共に丹下健三の設計であり、現都庁舎はパリのノートルダム大聖堂を参照した、所謂ポストモダン建築だ。

　この高層ビルのロビーにて、港区の防潮扉で発見された「バンクシー作品らしきネズミの絵」（！）が一般公開されたことも記憶に新しい。普段、グラフィティをイリーガルなものとして処理している"公"が、ポピュラリティと市場価値を有する落書きを恭しく保護するという矛盾について、論理的に整合性のある説明は未だ聞かされていない。

　ちょうど同じ時期には、あるミュージシャンのコカイン使用による逮捕劇があった。むろん法を侵すのは望ましくないが、それに付随するメディアの過剰報道がアディクションの治療を疎外し、世間が道徳的・感情的に人格を裁いて、その「作品」までをも社会的に抹消するような風潮には、やはり違和感を覚えざるを得ない。

　かつて同じく丹下が構想した「東京計画1960」は、都庁舎と違いアンビルドに終わった。そのマスタープランを鳥瞰図で見ると、東京湾上に白い幹線が錯綜していて、まるでコカインのホワイトラインのようだ。

　東京を砕き、白いラインを時空に引いて、とにかく鼻から吸ってみる。

4. 芝浜駅
地区：港区港南

　2020年春に暫定開業予定であるJR東日本の新駅の名称が、「高輪ゲートウェイ」に決まった。駅名は公募制を採用しており、応募数では1位が「高輪」、以下「芝浦」「芝浜」と続いていたにもかかわらず、130位だったこの名前が選ばれている。

　当然その不透明な決定プロセスには釈然としないが、公募案にもあるように、新駅の辺りは落語「芝浜」の舞台だ。「芝浜」は明治の落語家・三遊亭圓朝の作とされる古典落語であり、裏長屋に住む貧乏暮らしの魚屋が、芝の浜辺で四十二両という大金の入った革財布を拾ったものの、女房はそれを夢だと言い張る――そんな夫婦の人情噺である。

　この名作のタイトルを引用しなかった、否、できなかったのは、不動産ビジネスの問題でもあるだろう。地名によって地価は変わってくるからだ。不動産として、そこは断じて貧乏な江戸下町のイメージであってはならず、高級感漂う山の手の一等地でなければならなかった。

　さらに言えば接続されたカタカナ語は、郊外から都心へ、ニュータウン的な感性が逆流入していることを示唆しているのではないか。山手線上の「高輪」と「ゲートウェイ」の出会いには、"土地の詩"としての「マンションポエム」（大山顕）の響きがある。

　仮にそれが現在の東京のリアリティだとしても、しかし私は、この駅名が「芝浜」であると女房に嘘をつかれてみたい。そして3年後の大晦日に、ほんとうは「高輪ゲートウェイ」だと打ち明けられても、夢から醒めずにいてみたい。

5. Close Window
6. Open Window
地区：渋谷区桜丘町

　渋谷は再開発の真っただ中にある、まさに「普請中」の街だ。

　特に駅周辺は、2020年を目処に大規模な開発プロジェクトが進行しており、日夜その風景を変化させている。なんでも、回遊性の高い立体的な歩行者動線「アーバン・コア」を整備して、9つの「複合施設」を建設するらしい。じじつ、既に渋谷ヒカリエを皮切りとして、渋谷ストリームや渋谷スクランブルスクエアといった商業ビルが続々と開業している。

　それに伴い、西口から246を渡った先にある桜丘町一帯も、ずっとフェンスで囲われていて、気づけば町そのものがなくなってしまった。小さな個人商店の多いその辺りは、渋谷の"裏"という感じで気に入っていし、昔からよくぶらついていた。

　更地になる直前に覗きに行くと、あらゆる建物の窓ガラスに「※」で貼られたガムテープが、妙に印象的だった。空の向こうには、アミダクジみたいなファサードのビルが聳っている。これから渋谷は、その最上階に取り付けられた「Google」のロゴにずっと睥睨されることになるのだ。

　マルセル・デュシャンは、第一次世界大戦後の1920年に、レディメイド作品として《フレッシュ・ウィドウ［なりたての未亡人］》を制作した。小型のフランス窓に黒い革で覆われたガラスをはめ込んだそのオブジェは、窓外の視界を頑なに閉ざしている。

　閉じられ、そして再び開かれる渋谷の窓からは、その先の景色を見通すことができるのだろうか？

7. Tokyo Suicide Girl Returns
地区：台東区千束

　東京は何度も「死」を経験している。

　江戸にしろ東京にしろ、大きな変化を伴う時にはいつも、地震、大火、洪水、戦災といった「災害」が絡んでいた。それは江戸文化の中心だった"不夜城"吉原も例外ではない。

　浅草の芝居町に並ぶ「二大悪所」として、頽廃的な洗練を極めた吉原遊郭は、もともと江戸時代の初期、日本橋に誕生している。やがて明暦の大火の後、辺郭な周縁に位置する浅草寺の裏手に移されたのが（新）吉原である。

　それからも吉原の被った災害は、安政の大地震、吉原大火、関東大震災、そして東京大空襲と立て続く。いずれも妓楼や茶屋が数百軒規模で焼失する壊滅的な被害を受け、その度にたくさんの遊女たちが亡くなっていた。

　ただ、災害でなくとも、20代で早死にする遊女は多かったという。幼い時分に女街に売られ、不自由で働きずくめの生活の中、荒淫、妊娠、中絶、性病、病気、借金による心労と、彼女たちの生涯は辛く厳しいものだった。場合によってはそれら全てを投げ出して、剃刀で首を切って死のうとしたり、惚れ合った客と心中を計ったりしたそうだ。

　日本堤から脇へ入ると、今でも一帯は歓楽街である。もちろんかつての面影はないが、焼け跡から「復興」を繰り返してきたことを想えば、それも詮無いことだろう。

　男一人歩いていると、すかさず客引きに声をかけられる。目を泳がせながら吉原大門をくぐり抜け、淋しく残された見返り柳を見返す。通りの果てには、まるで巨大な樹木のようなスカイツリーが聳え立っている。

8.　New World Border -OLYMPIA1896-
9.　New World Border -OLYMPIA1936-
10.　New World Border -OLYMPIA1964-
11.　New World Border -OLYMPIA1972-
12.　New World Border -OLYMPIA1980-
13.　New World Border -OLYMPIA1984-
都市：アテネ、ベルリン、東京、ミュンヘン、モスクワ、ロサンゼルス

　現在の東京は、オリンピックによって作られた

と言っても過言ではない。

　1964年の東京五輪に向けて、渋谷地区発展の礎となった所謂「オリンピック道路」や、日本橋の上をまたぐ首都高速道路、東海道新幹線、東京モノレールといった数々のインフラが整備されている。高度経済成長と同期して、東京の姿を大変貌させたその都市改造は、当時の日本が敗戦からの「復興」を世界に示す上で、それなりに重要な意味を担っていたと言える。

　一方で、2020はどうだろう。東日本大震災の余波が色濃い2013年に招致が決定し、コンパクトな「復興五輪」として喧伝された東京オリンピックだが、開催費の高騰や、マラソン開催地の札幌への変更など、数多の混乱は今も続いている。それは控え目に言って、2025年の大阪万博を含め、この国に山積した問題を覆い隠す追憶の空騒ぎとしか思えない。

　アルテ・ポーヴェラのアーティストであるアリギエロ・ボエッティの代表作に、《MAPPA》がある。各国の領土ごとに国旗が縫い込まれた、世界地図の織物だ。その作品を下敷きに、世界の国境線が迷彩柄のように混沌と化しつつある現代、"新しい地図"を提示するのが《New World Border》シリーズである。本展では、近代オリンピック史を遡る。

　取り上げるのは、1896年にアテネで開催された第1回大会、1936年にナチス政権下で敢行されたベルリン大会、1964年東京大会、パレスチナゲリラのテロ「黒い九月事件」が起きた1972年ミュンヘン大会、ソ連のアフガニスタン侵攻で西側諸国がボイコットした1980年モスクワ大会、そして今度は逆に東側諸国がボイコットし、初の完全民営化五輪としてオリンピックが「商業化」した端緒にあたる、1984年のロサンゼルス大会だ。

　それぞれの大会参加国の全国旗を改めて翻させることで、レニ・リーフェンシュタールによる映画『オリンピア』を引くまでもなく、近代五輪が担ってきたある種の〈イデオロギー〉を炙り出すことを試みる。

14. TOKYO CLEAN UP AND DANCE！
地区：明治神宮 内苑 — 外苑

　1964年10月16日、東京オリンピックの開催期間中に、高松次郎・赤瀬川原平・中西夏之からなる前衛芸術グループ「ハイレッド・センター」は、銀座の街頭で「首都圏清掃整理促進運動」を行った。「BE CLEAN！」と書かれた看板を立て、赤い腕章をした白衣姿で、路面を「清掃」するパフォーマンスだ。

　オリンピックを間近に控え、町中が都市衛生の向上を図り、美化運動に邁進していた時期に考案されたこのイヴェントは、赤瀬川原平が『東京ミキサー計画』で書いているように、慌ただしく「ゴミ」を隠し、外面を「キレイ」に取り繕おうとする東京への、痛烈なアイロニーだった。

　そのオマージュとして、2019年の明治神宮内苑・外苑エリアを〈清踊〉する。

　そもそも明治神宮は、崩御した明治天皇の遺徳を讃えるために作られた記念館だ。それは代々木の「森に包まれた神社」である内苑と、青山の絵画館やいちょう並木、スポーツ施設からなる外苑との2部で構成されており、2つの空間は、南北2本の連絡通路（表参道と裏参道）でつながれている。

　またその一帯は、1964年のオリンピックによって大きく発展した地域だ。実際、巡ったコースには、国立代々木競技場（丹下健三設計）に始まり、五輪橋やコープオリンピアといった建造

物がいくつも残されていた。さらに、2020年に向けた新しい施設である新国立競技場やJAPAN SPORT OLYMPIC SQUAREなども、既にその全貌を現している。

　そんな風景の中で、2度目の東京五輪の前夜、私たちは踊るように清掃する、あるいは、清掃するように踊る。

33. Shuttle RUN for 2020
34. Shuttle RUN for 2021
地区：新国立競技場

　運動習慣のない私がスポーツと聞いて思い出すのは体育の授業だ。

　そこには何か強制めいた、気怠い空気が漂っていた。体力テストに対し全く気乗りしなかったのは言うまでもない。特にシャトルランはやりきれなかった。走ることによって何処かに到達できるならまだしも、一切の前進も後退もなく、同一線状を往復し続けることには徒労感が募った。しかも、警笛じみた無機質な合図音は刻々と早まっていく。処置に間に合わなければ爆発してしまう時限爆弾の導火線のように、それは焦燥感を掻き立てる。

　2017年8月、蒸すような猛暑の中、神宮外苑へと足を運んだ。新国立競技場の建設現場には幾台ものクレーンが林立していて、青々とした空に幾重にも伸びた赤い鉄尖が突き刺さっている。

　仮設のレガシー。

　ふとシャトルランが脳裏をよぎった。

　前進のない終わりなき反復も、加速度的に迫るタイムリミットも、じりじりと積もる焦慮も、疲弊も、今私たちの眼前に広がっているものではないか？……

　さらに、2年後の8月、ほとんど完成した競技場を尻目に、全く同じ場所で、同じ行為を再撮りした。

　むろん、シャトルランは単なる持久力測定テストであり、オリンピック種目ではない。

15 - 32. Tokyo Barracks
地区：東京一帯

　1923年（大正12年）9月1日、関東大震災が日本を襲った。

　下町の大半がなぎ倒され、東京は文字通り焼け野原と化す甚大な被害を受けている。ただ、その荒廃の中から、新しい文化の萌芽が見られたことも事実だ。例えば震災の直後、「考現学」の創始者・今和次郎は、吉田謙吉らと共に「バラック装飾社」を結成し、「野蛮人の装飾をダダイズムでやる」として、次々と建ち上がるバラック群のファサードに、ペンキで絵を描いたのだった。

　現代で言えば、彼らの手つきはさながらグラフィティ・ライターである。思えばヒップホップ・カルチャーもまた、ロバート・モーゼスが手掛けたニューヨークの都市計画の「失敗」によって、サウス・ブロンクスの瓦礫から生まれたものだった。

　未だ3.11の記憶が生々しいのはもちろん、昨今の異常な「天気」がもたらす災害に日々苛まれている私たちは、今、ここから、どのような文化を立ち上げることができるのだろうか。

　ひとまず私は、「バラック装飾社」のネガとして、関東大震災後の惨状を写す絵葉書の上に、現在の東京の街並みを描きつける。

35. EED — Empty Emperor Donut —

地区：千代田区皇居

　東京の中心は、ぽっかりと穴が空いている。まるでドーナツだ。

　そこに位置するのは、言うまでもなく皇居である。大都市のど真ん中にあって、深い緑に覆われた、ほとんどの人が入れない場所。だが、それは決して無意味にないのではない。穴がなければドーナツはドーナツたり得ないように、ないということでありありとある。もしかすると、それが「象徴」ということなのだろうか。

　こんどは、明治から令和まで、日本近代の時間軸を視覚的に考えてみる。ちょうど中心にくるのは、太平洋戦争だ。大きく穴の空いたグラウンド・ゼロ。終戦を告げたのは、1945年8月15日正午、ラジオから流れる昭和天皇の「玉音放送」だった。今聴き直すと、神から人へと転身するその刹那、虚無的な陥穽において発せられた〈言葉＝玉音〉が、既に戦後の天皇像の原型にあたるような、「災禍」に寄り添い「建設」への意志を宣言する内容であったことに、改めて驚かされる。最近知ったのだが、その音声は生放送ではなく、終戦前日の8月14日に録音されたものなのだという。記録したメディアは、レコード盤だった。

　東京は、皇居の周りをぐるぐると回るレコードだ。お堀沿いの楽曲＝走路の上を、皇居ランナーが周回している。このまま回り続けたら、いつか東京はバターになって溶けて消えてしまうかもしれない、『ちびくろサンボ』の3匹のトラのように。トラ・トラ・トラ。始まりの合図、終わりの合図。どこからか幽かに金槌の音が聞こえてくる。それは東京を砕く音だろうか、それとも造る音だろうか――？

　いずれにしろ、普請の音は鳴り止まない。

　堪ヘ難キヲ堪ヘ、トカトントン。
　忍ビ難キヲ忍ビ、トカトントン。
　総力ヲ将来ノ建設ニ傾ケ……トントントンカトン、トカトントン。

主要参考文献

佐多稲子『私の東京地図』新日本文学会、1949年
川添登『東京の原風景』ちくま学芸文庫、1993年
森鷗外『普請中』『三田文学』、1910年
エドワード・サイデンステッカー『東京 下町山の手』安西徹雄訳、ちくま学芸文庫、1992年
エドワード・サイデンステッカー『立ちあがる東京―廃墟、復興、そして喧騒の都市へ』安西徹雄訳、早川書房、1992年
陣内秀信『東京の空間人類学』ちくま学芸文庫、1992年
菊地ひと美『廓の媚学』講談社、2017年
多木浩二『スポーツを考える―身体・資本・ナショナリズム』ちくま新書、1995年
小川勝『オリンピックと商業主義』集英社新書、2012年
沢木耕太郎『オリンピア　ナチスの森で』集英社文庫、2007年
赤瀬川原平『東京ミキサー計画』ちくま文庫、1994年
赤瀬川原平『路上観察学入門』ちくま文庫、1993年
中沢新一『アースダイバー　東京の聖地』講談社、2017年
今和次郎『考現学入門』藤森照信編、ちくま文庫、1987年
太宰治『トカトントン』『群像』、1947年
etc.

没入し都市に抵抗せよ ——
中島晴矢論
藪前知子

オリンピック前夜の東京を舞台に発信してきた連続展覧会、「東京計画2019」の最後を締めくくるのは、中島晴矢の個展である。彼はその多面的な活動を、オルタナティブな領域を社会に確保するという一点により串刺しにしてきた表現者である。文学部で日本近代文学を学びつつ美学校に通い、シェアハウス「渋家」創設に関わり、映像、造形など多岐にわたるメディアを扱うアーティストとしてだけではなく、ヒップホップ・ユニットのMC、俳優、文筆家、キュレーターなど複数の顔を持って活動の領域を広げてきた。東日本大震災以降、オルタナティブな空間やコミュニティが社会において重要度を増す中で、東京を拠点にその活性化に関わってきた一人である。

東京近郊のニュータウンを原風景とする出自から、中島の作品の一つの特徴は、一見無機質な都市に身体的に介入し、その陰影を描写することにある。代表作である「バーリ・トゥード in ニュータウン」のシリーズは、多摩ニュータウンや千里ニュータウンなど、日本を代表する郊外の風景の中で、本人が覆面レスラーに扮し、ひたすら移動しながら何でもありの闘いを行っていくものだった。コンクリートの上で繰り広げられる捨て身のファイトを見ているうちに、いつの間にか前景と後景が反転し、演劇のセットのような現実感のない風景と、目の前の異常事態に見て見ぬ振りをして行き過ぎる人たちが主役として立ち現れてくる。これは「暴力」ではなく「格闘技（とその撮影）」なのだ、というフィクションに現実を侵食された心性が、ニュータウン全体を覆うものとして浮かび上がるのだ。

ここで注目したい中島作品のもう一つの特徴は、そこに多くの場合、自らの行為に没入する人物が登場することだ。今回の出品作では、新国立競技場の周りをひたすら走るシリーズ作品の新作《Shuttle RUN for 2021》（2019）や、都庁と思しき立体を砕き、その粉を丹下健三の「東京計画1960」のプランの上に広げて鼻から吸う《Tokyo Sniff》（2019）がそれだ。その反復運動は、人物の身体の内部に確かに変化をもたらしているのだが、私たちはそれを共有することができない。1964年のハイレッド・センターの見事なパロディである《TOKYO CLEAN UP AND DANCE！》（2019）においても、黙々と清掃する人々は、整備されていく東京の表面をなぞるだけである。（付け加えれば、取り壊されるビルの、テープを貼られた窓《Close Window》（2019）も、その閉鎖性と不可視性から、これらの人物のメタファーとして見えてくる。）これらの個の内部の共有不可能な変化が、強大な力によるスペクタクルな都市の変化——近代の亡霊——への批評として対比的に表れることに注目しよう。本展の要となる「普請中」と刻まれた礎石は、森鷗外の同名の小説からの引用である。この物語で描かれているのは、いまだ「普請中」である東京を背景にした、かつて恋人だった二人の心の距離である。この他者に共有されない個の内面の動きを、情動、さらには自発性と呼び替えてみたい。「ハイになって踊る」という、現在の東京の文脈における法の逸脱のメタファー、あるいは遊女の「自殺」（《Tokyo Suicide Girl Returns》（2019））は、自発的な個人の選択の極点を私たちに鋭く問いかける。玉音放送（《EED—Empty Emperor Donut—》（2019））に象徴されるような共同体の単一的な経験に抗い、耳も目も閉じて、ただ「鼻から吸って踊れ」——。本展は、他者に侵犯されない、真に自由な個の領域を、中島晴矢が全霊を賭けて東京の一角に刻み込んだ記録である。

Immerse Yourself and Resist the City – The Works of Haruya Nakajima

Tomoko Yabumae

Haruya Nakajima's solo exhibition marks the final installment of *Plans for TOKYO 2019*, a series of exhibitions that brings focus to the city of Tokyo in the eve of the upcoming Olympic games. Nakajima is an expresser whose multifaceted activities are penetrated by the sole intention of ensuring alternative territories within society. Having attended art school while studying modern Japanese literature at university, he was involved in establishing the share house "SHIBUHOUSE," and continues to expand the scope of his practice not only as an artist working with a wide variety of media including video and plastic arts, but also as an individual possessing multiple personas from an MC of a hip-hop unit, to an actor, writer, and curator. Nakajima, who is based in Tokyo, has engaged in the activation of alternative spaces and communities, which have become increasingly important within society in the wake of the Great East Japan Earthquake.

As attributed to the earliest impressionable landscape of his childhood being a new town development situated in Tokyo's suburbs, one of the characteristics of Nakajima's work is the way in which he physically intervenes with the seemingly inorganic city to depict its various nuances and subtleties. In his representative work, *Vale Tudo in New Town,* Nakajima himself is dressed as a masked wrestler, constantly traveling from one of Japan's leading suburban landscapes to another such as the likes of Tama New Town and Senri New Town, where he takes part in a series of dangerous and unruly fights. Spectators look on at these haphazard fights taking place on the concrete pavement, and sooner or later the foreground and background is inverted. What emerges as a result is a scene that appears unreal and reminiscent of a theater set of sorts, while passersby going to and fro so as not to take notice of the abnormal situation unfolding before their eyes, are transformed into protagonists. A mentality in which reality is impeached by a fictional narrative that is not "violence" but is "the performing (and filming) of martial arts," comes to manifest as something that permeates the entire new town.

Another characteristic of Nakajima's work that one hopes to bring attention to, is how in many cases they involve people who are absorbed in their own actions. Examples of such work presented in this exhibition is his new series *Shuttle RUN for 2021* (2019) in which he constantly runs around the New National Stadium, as well as *Tokyo Sniff* (2019) where he can be seen breaking a sculptural form that appears to look like the Tokyo Metropolitan Government Building, sniffing its powdered fragments that are spread across the blueprints of architect Kenzo Tange's "A Plan for Tokyo 1960." These repetitive movements certainly bring about internal changes to the bodies of the persons involved, however, we as viewers are unable to share these experiences. Even in the work *TOKYO CLEAN UP AND DANCE!* (2019) which in itself is a brilliant parody of 1964 avant-garde art group Hi Red Center, the people who silently engage in cleaning are only tracing the mere surfaces of Tokyo as it continues its development (in addition, *Close Window* (2019) –a taped-down window in a building awaiting its demolishment, due to its closed nature and invisibility, comes to appear like a metaphor of such people). It is to be noted how these unshareable changes that occur within individuals are made to appear in contrast to and as a criticism against the spectacular changes of cities –the ghosts of modernity– that are driven by great force. Upon the cornerstone that serves as the key to this exhibition are the words "Under Reconstruction," referenced from an eponymous novel by the author Ogai Mori. What is depicted in this story is the psychological distance between two former lovers against the backdrop of the city of Tokyo that still finds itself "Under Reconstruction." These inner movements of the individual that remain unshared with others may perhaps be rephrased as a form of deep emotion or even spontaneity. The metaphor "get high and dance," which legally deviates from Tokyo's current context, or the self-inflicted death of a prostitute depicted in *Tokyo Suicide Girl Returns,* (2019) encourages us to sharply question the extremes of voluntary personal choice. Resist the singular experience of the community symbolically illustrated in the Jewel Voice Broadcast (*EED–Empty Emperor Donut–* (2019)), close your ears and your eyes, and simply "sniff Tokyo, and dance." This exhibition is a record by which Haruya Nakajima channels his entire spirit to engrave within a corner or Tokyo a truly free and individual territory that is unimpeachable by others.

中島晴矢×藪前知子
2019年11月30日（土）19時〜

藪前｜「東京計画2019」は、丹下健三が1964年の東京オリンピック前の1961年に発表した「東京計画1960」という、敗戦後の焼け野原から、高度経済成長期を迎えて人口が爆発していく東京を舞台に、発展のヴィジョンを具体的な提案にした幻の都市計画を下敷きにしまして、2度目の東京オリンピックを直前に控えた今、この東京で何を見せるべきなのか、アートがこの社会に対してどのような力を持ちうるのかを問おうという企画です。

中島さんはニュータウンに生まれて、都市に介入しながら作品制作をされてきました。オリンピックに言及した作品もあります。美大出身ではなく、文学部と美学校で学びながらオルタナティブなコミュニティのなかで活動をされてきましたが、現代アートを始めたきっかけをお聞かせいただけますか？

中島｜高校生のときに、芥川賞を取ったモブ・ノリオさんの小説『介護入門』（2004）や、大正時代の新感覚派を率いた小説家・横光利一の「機械」（1930）などに影響を受けて文学部に進学したんです。同時に文学だけでなく、サブカルチャーも含めた文化全般に対して興味を持っていました。そこで必然的に現代美術にも関心を抱くようになり、やりたいことを全部やろうとした結果、文学部で学びつつ、シェアハウス・渋家に住み、美学校にも通うことになって。そこからいわゆる現代アートの作品を作り始めます。

藪前｜最初から都市や東京をテーマにされていたのでしょうか。

中島｜いえ、都市を強く意識し始めたのは、東京での初個展「ガチンコ─ニュータウン・プロレス・ヒップホップ─」（ナオナカムラ、2014）から。ちょうど東京オリンピック2020の開催が決まった直後でした。

僕は東日本大震災以降に表現を始めた「ポスト3.11」世代として、ある土地の場所性や地域性といった問題系が前景化するような状況でキャリアをスタートさせた意識があります。3.11が起きた直後は、当事者性が薄いなかですぐさま現地に赴いてリアルタイムにアクションを起こすことはできませんでした。しかし、同時に自分の「根拠地」になるものは何かと考え、ある種カッコ悪い出自としてのニュータウンをテーマにした作品を作り始めます。それが、ニュータウンを舞台に延々と路上プロレスを繰り広げる映像作品「バーリ・トゥード in ニュータウン」のシリーズです。ただ、それらは東京近郊が主題。今回の「東京計画2019」では、郊外論のコンテクストは意識的に排除し、東京という都市の中心を扱っています。

藪前｜中心で起きているものの結果や影響がニュータウンとも言えますが、今回はそうではない視点で取り組んでくださいました。最初のプランではもう少し直接的にオリンピックに対する主張があるような内容でしたよね。

中島｜東京オリンピックのザハ・ハディドによる新国立競技場をめぐる議論が過熱化しているのを見ながら、建築というものが非常にポレミカルで、さまざまな文脈に突き刺さるジャンルだと気づきました。それ以来、都市や建築、そしてオリンピックをテーマに展覧会をやりたいと考えていたんです。そこで、最初はオリンピックの持つ全体主義や国家主義を背景に、1936年のベルリンオリンピックを軸としてナチスやファシズムを正面から扱いたいと提案しました。

藪前｜提案は興味深くはあったのですが、ナチズムから今の日本の状況への批評をアレゴリカルに示すことが、もしかしたら牧歌的に見えてしまうくらい状況は暗いのではないか……という思いがあり、違う視点で進めてみてもいいのでは、と私からお話をしましたよね。その後、あいちトリエンナーレの一連の出来事もありましたし、間違ってなかったかなと。

中島｜当初はアルベルト・シュペーアによる都市計画なども含め、自分なりにナチを掘り下げることで現在の東京を逆照射するつもりでした。ただ、藪前さんのアドバイスを受けて、主軸を「オリンピック」から「東京」へ移行したことで、結果的に都市論としての広がりが生まれたと思っています。

藪前｜今回は「東京を鼻から吸って踊れ」というタイトルで全体が構成されていますが、これはどこから出てきたタイトルなのでしょう。

中島｜今年3月にピエール瀧がコカイン使用で逮捕されたとき、電気グルーヴの楽曲がサブスクリプション上で聞けなくなるといった創作物の抹消が印象に残ったんで

す。そこから、オブジェを砕いて鼻から吸う映像作品《Tokyo Sniff》のイメージが湧いてきました。

　最初は「作品や文化が破壊される」ことから、例えばギリシャ神話の石膏像を砕いて吸うアイデアなんかが浮かんだのですが、今回の企画で何を扱うのがふさわしいか思案した挙句、やはり東京の政治的なシンボルであり、丹下健三の設計した東京都庁に落ち着きました。

　さらに、そこに自由が制限されていく社会状況を絡め、風営法によるダンス規制などにつなげたいと考えました。今年は沢尻エリカをはじめ、展示準備中にもたくさんの著名人がドラッグで逮捕されましたよね。彼女ほど「東京を鼻から吸って踊」っていた人はいないのではないか。そんな社会状況の変化を肌身で感じながら設定したタイトルです。

藪前｜風営法のことも含めて、オリンピック前だからということもあるのでしょうね。では、《TOKYO CLEAN UP AND DANCE！》からお聞きしましょうか。この作品は、ハイレッド・センター（以下 HRC）が行った 1964 年のオリンピックへ向けてきれいになっていく東京をゲリラ的に清掃する「首都圏清掃整理促進運動」という作品への見事なオマージュとなっています。

中島｜皆さんも HRC の「首都圏清掃整理促進運動」はご存知だと思いますし、日本の戦後美術史で言えばあまりにも大ネタです。オマージュやパロディもたくさんあり、躊躇もあったのですが、どうしても自分で再演したいという願望がありました。以前は根底に 1964 年の東京オリンピックへのアイロニーがあったことをあまり意識していませんでしたが、2020 年の開催が決まってから必然的に、この作品の重要性がより高まったと感じていて。1964 年と 2020 年の東京という側面にフォーカスした HRC のオマージュがまだないのであれば、「じゃあ俺がやるよ！」と。

藪前｜表参道の代々木公園からスタートして、オリンピックにゆかりの土地を、新国立競技場まで清掃していったのですよね。

中島｜HRC が清掃したのは銀座でしたが、それは銀座が当時の美術の中心だったからですよね。今回は、そうした HRC の都市への関わり方を踏まえて、1964 年の東京オリンピックで作られたと言える明治神宮内苑から外苑に至るエリアを「清踊」しました。制作して思ったのは、東京には丹下健三の建築がとにかく多いということ。国立代々木競技場から始まり、都庁もそうですし、東京を建築の視点から見ると丹下はあまりに巨大な存在ですね。東京は丹下が作ったと言っても過言ではな

い（笑）。

藪前｜演出の方針についてお聞かせください。

中島｜僕以外の 4 名の出演者はダンサーです。その意味で、これはダンス・パフォーマンス。「首都圏清掃整理促進運動」のパロディは数あれど、それをかつてのかたちのまま模倣する必要はないと考えました。当時の東京に対する批評性を汲み、自分なりのエッセンスを抽出して現代化したかったんです。この作品における所作はコンテンポラリー・ダンス的なので、いわゆるクラブ・ミュージックで踊るような身体性とは異なりますが、風営法改正以降のダンスやクラブ規制に対する疑問も投げかけています。

藪前｜今の東京の状況ですと、これが「ダンス」だと逮捕されてしまうかもしれない。だけど「掃除」ならば誰も何も言わないということですね。今流れているシーンもすごく印象的ですね。

中島｜オリンピックのために新しくできた建造物「ジャパン・スポーツ・オリンピック・スクエア」のシーンですね。Chim↑Pom 卯城竜太さんと松田修さんによる『公の時代』（2019）の議論につながるかもしれませんが、公共的な広場としての役割をあまり有していない「スクエア」がたくさんできていることへの苛立ちもありました。

藪前｜公共とは何かという問いは、毒山さんはじめ、「東京計画2019」全体に通底するものでもありますね。次に、入り口の《high school emblem》についてお話しいただけますか。

中島｜まず、僕の展覧会を貫いているのは、東京をはじめとする街々の思い出を描写した文学作品に対する憧憬です。例えばプロレタリア文学の小説家・佐多稲子が書いた、自身の体験に根ざした美しい東京論と言える名著『私の東京地図』（1949）や、パリの市街を描写したヴァルター・ベンヤミンの『パサージュ論』（未完）など、一つの街を主観的かつ総体的に描いた作品に強く惹かれていて、今回は自分なりの東京論の提示を試みました。そこで僕の東京体験の出発点として、中学・高校と通った港区麻布からスタートしたかった。さらに、コカインをモチーフに扱うならマリファナを避けて通れません（笑）。そうした意図で、出身校である麻布高校の麻の葉文様の校章を下敷きに、高校の「高」の字とドラッグによる「ハイ」をかけたこの作品を、展示入り口に掲げました。

藪前｜おっしゃるように多くの文学作品からの引用が散りばめられていますね。

中島｜自分の表現や思想体系の根本には日本近代文学があります。今回の展示でも、《普請石》は森鷗外の小説「普請中」（1910）からの引用ですし、玉音レコードを使った《EED — Empty Emperor Donut —》にも太宰治「トカトントン」（1947）のエレメントが練り込まれています。

藪前｜《芝浜駅》は落語からの引用ですね。

中島｜はい。「芝浜」は三遊亭圓朝の作とされる落語です。《Tokyo Suicide Girl Returns》でも吉原の遊女の自殺を扱っているように、僕の作品に落語的なモチーフが多く出てくるのは、近代を考えるうえで落語が非常に重要だと考えるから。近代文学の始まりは、それ以前の侍言葉の「候文」に代表される書き言葉から、新しい文体である「口語文」を作った運動だったとも言えますが、近代文学の祖である二葉亭四迷が口語体で『浮雲』（1887-89）を綴るときに参照したのが三遊亭圓朝の落語でした。このように落語と近代の成立は密接に関わっています。要するに、落語は日本の前近代と近代をブリッジする「かすがい」のようなものなんですね。ところで、二葉亭と同じく近代文学の祖に坪内逍遥がいますが、まさに「逍遥＝散歩」を筆名に名乗っている。僕は「麻布逍遥」（SNOW Contemporary、2017）という個展を行なったことがありますが、今回の展示でも「散歩者」という態度は一貫しています。

藪前｜先ほどベンヤミンへの言及がありましたが、フラヌール、散歩者自体が、近代的な人格として論じられていますよね。

中島｜江戸時代の落語の世界にはなかった自意識や自我という答えなき答えを求めて彷徨し続けるのが近代であり、それはまた近代的概念としての芸術それ自体であるとも言えます。だからこそ、前近代の江戸から、近代の始まる明治、そして現代の令和までを、東京を舞台に散歩者の視点で串刺しにしたかったんです。

藪前｜今回の最も重要なモチーフとなっている森鷗外の「普請中」を改めて読むと、短い文章のなかに日本の近代を冷めた眼で見るもう一つの主体が描かれています。今の私たちから見るとその批評性は一目瞭然ですが、当時、森鷗外以外にその視点を持ちえたのかどうか。

中島｜むしろ僕は、鷗外は素朴な近代主義者だったと

思っています。鷗外は一刻も早く近代国家を建設しなければならないと考えていたのではないか。もっと言えば、昨今のオリンピックに向かうゴタゴタを見ればわかるように、日本はいまだに「普請中」、言い換えれば前近代社会であるかもしれません。「早く近代国家ないし近代都市を作らねばならない」という鷗外の100年以上前のメッセージが新鮮に読めてしまうくらい、彼が夢想した国家像はまだ完成していないのかもしれません。

藪前｜目層的でもあるけれど、一つの焦りを読み取るべきだということでしょうか。

中島｜そうですね。ただ、鷗外が建設を焦った近代都市・東京は、その後大正時代に関東大震災で一度崩れ去ってしまいます。文字通り「普請中」に舞い戻るわけです。そこで、関東大震災以降出てきた新感覚派の横光利一に代表されるような表現者たちは、彼らより上の世代である鷗外たちが考えた近代国家の建設からズレていくことになります。「近代の体裁は整ったかもしれないけれども、果たして我々が目指していた近代国家とはこれだったのだろうか？」と疑い出してしまう。日本は常に近代化への意思とその反動の狭間で揺れ動いてきたんです。

藪前｜展示では《Tokyo Barracks》という関東大震災の観光絵葉書の上に観察者を描いた少し謎めいた作品を展示されていますが、この作品についても聞かせていただけますか。

中島｜関東大震災後に建築家の今和次郎らが瓦礫のなかから新たな文化を生み出そうと、ダダイズムの野蛮さでバラックにペイントを施していった「バラック装飾社」の運動に着目しました。この作品では関東大震災の絵葉書に現在の東京の風景を重ねています。かつて自分にとって関東大震災は歴史上の一事件にすぎなかったのですが、大学3年生の頃に東日本大震災が起こり、震災というものがすごく切実でリアルな、同時代的なものとしてせり上がってきました。そこで、関東大震災のときに書かれた言葉を見つめ直したんです。ちょうどその頃、大学の卒業論文を執筆するために横光利一を読んでいました。そこで一番衝撃を受けたのが、震災後パリに外遊した横光が、岡本太郎の紹介でダダの始祖である詩人トリスタン・ツァラに会いに行ったときのエピソードです。ツァラに「日本ではシュルレアリスムは流行していますか？」と聞かれた横光は、「日本では地震があるからシュルレアリスムは流行しません」と答えたんですよ。これってすごく重要な指摘だな、と。

藪前｜目の前の現実がすでに破壊されていたとい

うことですね。

中島｜その通りです。僕もそのテキストに触れた頃、まさにブラウン管を通して東日本大震災の超現実的な状況を見ていたので、アドルノさながらに「果たして3.11以降芸術を語れるのか？」と自問しました。そうした二つの震災のことは今回の展示の準備中も常に頭のなかにありましたね。

藪前｜震災以降に、社会のなかで芸術がどう位置を占めうるのか、芸術は必要なのかという議論が行われるなかで活動を始めた作家さんは、それを問い続けながら制作しているように思います。「東京計画2019」の一連の展示も、オリンピック後のヴィジョンを考えようと謳っていますが、芸術表現は政治行動とは違い、直接的に現状の社会構造に影響を及ぼすものではないと思っています。それは都市計画として出すような「プラン」ではない。そのジレンマを確認しながら毎回展示を作ってきました。今年はちょうどあいちトリエンナーレのさまざまな問題も起きて、芸術の持つ政治性について改めて考えさせられた1年でしたよね。

中島｜そうなってしまいましたね。今のお話には二つ議題があって、まず都市計画ということで言えば、ステートメントにも青木彬くんという若いキュレーターの言葉を引用させてもらいましたが、アートが都市に対してできることは、「都市の再編」ではなく「都市の記述」なのではないか。僕は画家の長谷川利行が好きなのですが、彼が描いた東京下町のさまざまな風景は今見返してもすごく良い。都市を記述した芸術作品は、時間が経つほど発酵する感覚があります。今回の展示では文学者や美術家がその時代時代で描いた都市の記述や描写をかなり参考にしましたが、彼らが都市を生き、都市を見ることで残した作品や感覚に共鳴して、2019年の東京をしっかり記述しようと企図したんです。

　もう一つの議題であるあいちトリエンナーレに関してですが、「表現の不自由展・その後」が問題化されて以降、その政治性ばかりが取り沙汰されてしまった感があります。もちろん補助金の不交付や、少女像の展示をきっかけとする人種差別的な脅迫などは論外であり、唾棄すべきものです。そのうえで、ほかの出展アーティストの振る舞いもずっと見ていて、ここでは一概に言い尽くせないほど本当にいろんなことを考えました。そうした状況に応答したのが、玉音放送を録音したレコードの作品《EED》。なぜ作ったかと言えば、今年は元号が令和に切り替わったことで皇室行事がたくさん行われていたことも影響しているのかもしれませんが、「表現の不自由展」をめぐって「みんなこんなに天皇のことを意識

しているなんて！」と端的に驚いたからです。

藪前｜天皇について言及する動機は、中島さんのなかでどういうところにあるのでしょう。

中島｜例えばドラッグの問題についても、また天皇制についても、現在の環境では浴びるように情報に触れますよね。そこで自分なりに思考して得た感覚をこねて作品にしたいと思うのは、表現者として自然なことなのではないか。だから、この作品は「俺なら天皇をこう描くよ」というアンサーです。大浦信行さんの作品も理解はできるけど、僕だったら肖像画を燃やすのではなく、皇居の地図をレーベルにプリントした玉音放送のレコードを回すよ、というリアクションですね。

藪前｜アーティストとして、流れに棹さすように一言残しておくことが重要ということでしょうか？

中島｜それもありますし、東京をテーマにした際、天皇や皇居の存在を抜きには語れないと思いました。そもそも東京が東京たりえているのは天皇が住んでいるからであって、江戸には徳川家という行政のトップはいても、あくまで首都は天皇の住む京都だった。それが明治維新に伴い天皇が移住したことで、「住めば都」で東京が文字通り東の京となる。その強制力って一体何なのだろう、と。しかもそれはドーナツの穴のように不思議な存在感なんです。

藪前｜展示では、部屋の中心にレコードのドーナツ盤が空虚な皇居のようにあり、そこに別室に展示された《Shuttle RUN for 2020》や《Shuttle RUN for 2021》のシャトルランをしている人を重ね、皇居ランをしている人たちの光景も重ねて見えるような構成になっています。
　中島さんの作品の特徴である引用の使い方として、ある風景を、かつて見ていた人たちの視線を含めて持ってくるということがありますが、2019年の今、ここでこれを見せるという行為には、後の世代がサンプリングするための一つの視点を提供する意味もあるのでしょうか？

中島｜そうかもしれません。例えば椹木野衣さんが『シミュレーショニズム』（1991）を書いたのは遥か昔。僕はそれこそヒップホップなどのサンプリング文化に基づくさまざまなカルチャーを享受しながら、すでにあるものを切り貼りし、引用して、かろうじてオリジナリティを見出すような、平たく言えばポストモダン以降の時代を生きてきました。だから自分の美学をゼロベースで表

現することに若干の違和感があるんです。ゆえに今回も、多くの引用の先に自分の表現を接ぎ木するイメージで作品を作りました。

藪前｜「New World Border -OLYMPIA-」シリーズではオリンピックの参加国の国旗が表されていますね。

中島｜これはアルテ・ポーヴェラ運動のイタリア人アーティスト、アリギエロ・ボエッティの「MAPPA」から着想を得た作品で、オリンピック参加国の国旗から構成しています。第1回のアテネ、ナチス体制下のベルリン、64年の東京、そしてミュンヘン、モスクワ、ロサンゼルスと並べたわけですが、オリンピックをシンプルにビジュアルとして提示したとき見えてくるものがあるのではないか、という狙いがありました。もちろんどう見えるかは鑑賞者に任せていますが、例えば第1回大会を見ると、参加国は非常に少なく、しかもそれがほとんどヨーロッパの先進国に限定されている。すると、オリンピックがヨーロッパの近代的なイデオロギーによって作られたものであること、あるいは近代自体がヨーロッパのイデオロギーかもしれないといったことが浮かび上がってくるのではないでしょうか。

藪前｜このように一つの状況を可視化し、社会に投げることに、アーティストとしてどのような期待があるのでしょう？

中島｜今回僕は個々の作品に対してテキストを寄せていますが、基本的に全て問題提起に留めているつもりです。もちろん、例えば渋谷の再開発をモチーフにした《Close Window》と《Open Window》では、本音を言えば「俺の好きだった渋谷を返せ！」という気持ちはあります（笑）。ただ、キャプションではそこまで結論付けていません。

あいトリ問題とつながるかもしれませんが、僕はアートを政治的なメッセージを発信するための媒体だとは思わない。自分のポリティカルなメッセージは、デモや投票などそれぞれのスタンスで示すもので、アート作品はプラカードとは異なります。むろんあいトリのアーティストたちがプラカード的にアートを使っているとは思いませんし、さまざまなかたちのアートがあって然るべきですが、僕はアートを、自分が見ている現状の世界を自分なりに描き、提示するための器だと考えています。そこには不可避的に政治的主張ものるでしょうが、しかしそれをあからさまに訴えるのではなく、あくまで表層のうちに潜在させる複雑さを担保したいんです。

だから、天皇を扱った《EED》も細心の注意を払ってキャプションを書きました。賛も否もなく、作品とし

てはただレコードがくるくる回っている。とはいえ、テキストの最後には太宰治「トカトントン」からの引用がある。読む人が読めば、玉音放送の直後に聞こえてきた「トカトントン」という音が、主人公から軍国主義の幻影を剥ぎ取ると同時に、ぽっかりと穴が空いたように茫然自失させてしまった小説を思い浮かべ、あるニュアンスを汲み取ってくれるでしょう。

藪前｜全体を通して中島さんの抑えた怒りは十分伝わる構成ですが、中島さんの作品には自らの行為に没入する人物が多く登場し、その人の考えていることは外からはわからない。個の内面のブラックボックスが強調されることが一つの特徴としてあると思います。

あいちの問題も含め、今アートは公の空間を浮かび上がらせる手段としても用いられています。vol.1の毒山凡太朗さんもあいちトリエンナーレに参加しており、問題が起きたときに実際に対話の空間を作ることをしていました。中島さんの作品は、対話というよりは傍観者としての個に重点を置いているように見えます。

中島｜そうかもしれません。所詮、表現は自らの美学を押し付けるものだという諦念があり、対話の方向へ完全に舵を切れないんですね。例えば三島由紀夫が自衛隊員に呼びかける檄文の演説は、最後に自分で腹を切って自分の美として完結する。対話としては成立していないものです。ただ、そんな三島に強く感情移入してしまう。傍観者というよりは、あくまで個を通して公共について考えたいんです。だから、藪前さんのステートメントで「没入」と書いていただいてハッとしました。プロレス、掃除、スニッフィング……たしかにどれをとっても没入しているな、と初めて自覚したんですよ。アートが一番自由な場だと思っているので、「作品のなかでくらい自由でいさせてくれ」という気持ちで、全てを投げ打って個の身体性に没入しているのかもしれないですね。

藪前｜自由もこの展示の一つの大きなテーマで、個の内面にある、究極の自由の空間について考えさせられました。今回の展示はここまでの活動の集大成ということで、今後のヴィジョンはありますか？

中島｜今は建築家の佐藤研吾、キュレーターの青木彬と共同ディレクターとして、墨田区吾妻橋に「喫茶野ざらし」というカフェを兼ねたオルタナティブスペースを作っています。自分たちで場を構え、耕していくことにこれから挑戦したいですね。あと、少し違うタイプの作

品を作ってみたいと思っています。

薮前｜都市をテーマとするのではなく？

中島｜モチーフは都市かもしれないのですが、油絵を描いてみたいんです。昔、高校の授業で一度描いたきりで、きちんと描いたことがないので。先ほど長谷川利行が好きだと言いましたが、屋外でスケッチとかしてみたいですね（笑）。

薮前｜ますます引用の世界が広がりそうですね。
会場からもご質問があれば。

質問者1｜以前から作品を拝見しています。5年くらい前の美術手帖で卯城さんに「情けなさ」というかたちで紹介されていたのを読み、良い言葉だなと思ったのですが、今回の展示を見て、改めてその言葉を思い出しました。

中島｜美術手帖の特集で卯城さんがピックアップしてくださったのですが、ほかのアーティストが「新時代のアナーキー集団」などと書かれてるなかで、僕は「情けなさとマッチョイズムの応酬」。カッコ悪いなとは思ったのですが（笑）。

薮前｜ご本人が登場する作品が多いですが、シャトルランなどの無為な行為、達成しない行為を延々と続けるなかで、確かにそれが見えてきますね。

中島｜《Tokyo Sniff》で鼻から吸う映像も、知人から「粉のラインの引き方が素人だね」と言われたのですが、もちろん素人ですし、《TOKYO CLEAN UP AND DANCE！》でも、ほかの4名のダンサーに比べ、自分の身体は少しふらついていて、そういう「情けなさ」は見所だと思います。

質問者2｜「芸術はプラカードではない」という言葉が印象的で、芸術は単純に政治的な批判をするメッセージではなく存在する理由があることをとても自覚されているのだなと思いました。あいちの話もありましたが、自由が外的環境から狭められるような昨今、それに対して危機感があれば伺いたいと思います。

中島｜もちろん、その危機感をひしひしと感じながら作品制作し、ステートメントも書きました。それは都市だけではなく、表現の幅や時代の空気がどんどん閉塞した状況になっているなかで、僕ができる表現は何かと模索

してきたものです。

別に個々の作家を非難しているのではなく、ほかのアーティストもそれぞれの切実さで自分なりの自由を打ち立てているのだと思います。同じように僕も、たとえ社会的に批判されようと、自分の表現がしたい。別にドラッグをモチーフに扱っているからといって、実際にドラッグをやっているわけじゃありません。天皇やドラッグ、都市計画、オリンピックなどを批評的に考え、それを許容する余地が社会のなかに欲しいんです。だから、別にプラカードでもいいのかもしれません。ただ、以前自分のヒップホップユニット Stag Beat のリリックで、「例えば俺の場合このテープがデモ」とラップしたことがあります。その意味で、今回は自分なりのデモテープをたくさん作ったな、という気がする。これらの作品はある政治的立場の人たちと共鳴する部分があるかもしれないし、逆に相反する部分があるかもしれない。しかし、そういう自由な余地、いわば都市の余白こそが、あらゆるレベルで必要だと考えています。

薮前｜その社会の余白の拡張のために、今後のご活動も期待したいと思います。今日はありがとうございました。

171

中島晴矢

1989 年神奈川県生まれ。法政大学文学部日本文学科卒業、美学校修了。
美術、音楽からパフォーマンス、批評まで、インディペンデントとして多様な場やヒトと関わりなが
ら領域横断的な活動を展開。美学校「現代アートの勝手口」講師。「喫茶野ざらし」ディレクター。

主な個展

2019-2020 「東京計画 2019 vol. 5 中島晴矢　東京を鼻から吸って踊れ」gallery αM（東京）

2019 「バーリ・トゥード in ニュータウン」TAV GALLERY（東京）

2017 「麻布逍遥」SNOW Contemporary（東京）

2015 「ペネローペの境界」TAV GALLERY（東京）

2014 「上下・左右・いまここ」原爆の図 丸木美術館（埼玉）

2014 「ガチンコ——ニュータウン・プロレス・ヒップホップ—」ナオ ナカムラ（東京）

主なキュレーション

2018 「SURVIBIA‼」NEWTOWN2018、デジタルハリウッド大学八王子制作スタジオ（東京）

主なグループ展

2019 「un/real engine ── 慰霊のエンジニアリング」TOKYO2021、TODA BUILDING（東京）

2018 「変容する周辺 近郊、団地」八潮団地（東京）

2018 「明暗元年」space dike（東京）

2017 「ニュー・フラット・フィールド」NEWTOWN、デジタルハリウッド大学八王子制作スタジオ（東京）

2017 「ground under」SEZON ART GALLERY（東京）

アルバム

「From Insect Cage」（Stag Beat ／ 2016）

主な連載

「東京オルタナティブ百景」(M.E.A.R.L) など

http://haruyanakajima.com

Haruya Nakajima

Born in 1989, Kanagawa. Graduated from Department of Japanese literature, Faculty of literature, Hosei university, and completed Bigakko.

Nakajima independently develops cross-disciplinary activities such as art, music, performance and criticism while interacting with various places and people. He serves as a teacher of Bigakko "Back door of contemporary art," and director of "Cafe Nozarashi."

SELECTED SOLO EXHIBITIONS

2019-2020   *Plans for TOKYO 2019 vol. 5 Haruya Nakajima: Sniff Tokyo, and Dance*, gallery αM, Tokyo

2019   *Vale Tudo in New Town*, TAV GALLERY, Tokyo

2017   *AZABU SHOYO – To ramble about Azabu –*, SNOW Contemporary, Tokyo

2015   *Penelope's Border*, TAV GALLERY, Tokyo

2014   *High-Low, Left-Right, Now Here*, Maruki Gallery For The Hiroshima Panels, Saitama

2014   *GACHINKO – New Town, Pro Wrestling, Hip Hop –*, Nao Nakamura, Tokyo

SELECTED CURATION

2018   *SURVIBIA!!, NEWTOWN2018*, Digital Hollywood University Hachioji Production Studio, Tokyo

SELECTED GROUP EXHIBITIONS

2019   *un / real engine ——engineering of mourning, TOKYO2021*, TODA BUILDING, Tokyo

2018   *Transforming Surroundings: Suburbs, Apartment complex*,
Yashio housing complex, Tokyo

2018   *First Year of MEI-AN (light and dark)*, space dike, Tokyo

2017   *New Flat Field, NEWTOWN*, Digital Hollywood University Hachioji Production Studio, Tokyo

2017   *ground under*, SEZON ART GALLERY, Tokyo

ALBUM

From Insect Cage (Stag Beat / 2016)

SELECTED TEXT

Tokyo Alternative 100 Scenes (M.E.A.R.L)
etc.

http://haruyanakajima.com

東京計画2019——ソーシャル・ディスタンスからの追考
藪前知子

　オリンピックは延期され、街から人が消えた。あらゆる「計画」が無効になる事態が起きた今、2019年を振り返るならば、私たちがすでに、ある社会的な臨界点に達していたことを思わずにはいられないだろう。夏には、「あいちトリエンナーレ2019」において展覧会内容の「政治性」を巡り、インターネット空間で情報が拡散し、電話で抗議が殺到し、本来ならば開かれた空間であるはずの展覧会会場が脅かされる事態が起きた。SNSという外部の公共空間との摩擦が美術の空間を今後大きく変えていくことが予想されるうちに、未知のウイルスが簡単に私たちを分断し、展覧会も含めたあらゆる表現や生活の様式を全く違うものに作り変えてしまった。自分自身が他人に対する脅威となり、私たちの共同体が拠って立ってきた共有のプラットフォームは失われた。過去の出来事が変化の予兆として書き換えられるような感覚の中で、私たちに突きつけられたのは、「ソーシャル・ディスタンス」という新しい造語に象徴されるような、私と他者、個と共同体の関係、公共といった概念の問い直しであった。

　新型コロナ・ウイルスに感染したイギリスの首相、ボリス・ジョンソンは、自己隔離中、「社会は存在する（There really is such a thing as society）」と述べ、社会ではなく個が存在するのだというサッチャーの新自由主義を修正し話題となった。[註1] コロナ禍は、公衆衛生や医療インフラなど、公共の領域に含まれるものの重要性を、今一度人々に確認させることになった。一方、フランスの哲学者、ジャン＝リュック・ナンシーは、コロナが蔓延し始めた3月の時点で、人種や性別に関係なく罹患するコロナ・ウイルスは、人々を「共産主義化」するものだと新聞に投稿した。[註2] 注目を集めたこの発言は、「Black Lives Matter」のスローガンが世界中で叫ばれたあとでは、牧歌的なものとして歴史に刻まれることになるだろう。事態が悪化するにつれ、エッセンシャル・ワーカーの例をはじめ、ウイルスに晒される社会的リスクにおいて不平等が明らかになっていったことは周知の通りである。ウイルスは、民族、性別、年齢、職業、経済状況、健康状態など、個に備わった既存の諸条件を照らし出し、潜在していた問題を増幅させるものとして働いた。

　振り返って「東京計画2019」とは、そうした社会的な臨界状態に対する作家たちの反応であり抵抗であった。展覧会を作り上げた各作家は、個と共同体との結びつきを一旦ほぐして問い直し、その間に存在する公共の領域の解像度を上げることに注力した。そのことによって彼らは、国家、コミュニティ、民族、都市といった集団単位に対する個の権利、可逆的な力の関係の結び方を模索していったのである。

　福島県出身の毒山凡太朗は、故郷での原発事故をきっかけに現代美術の領域での活動を開始した。しかし彼の関心事は、奪われた場所を取り戻すことにあったわけではない。加害者と被害者という単一のアイデンティティ、所有や敵対関係を超えた第三の領域をいかに作るかが、その活動の核にあることは留意したい。今回の展示で、毒山は、現在の代表作の一つである旧作《千年たっても》(2015) に、《あどけない空の話》(2019) という新作を、対となるように制作した。『智恵子抄』の「あどけない空の話」をモチーフとした《千年 たっても》は、福島に押し付けら

Plans for TOKYO 2019 —Reflections Through Perspectives of Social Distancing
Tomoko Yabumae

The Olympics have been postponed, and people have disappeared from the city's streets. Looking back on 2019, now that we find ourselves in a situation in which all "plans" are no longer in effect, I cannot help but think that we have already reached a social critical point of sorts. In the summer, various kinds of information were disseminated across the internet regarding the "political nature" of the exhibited contents of *Aichi Triennale 2019*. There was a flood of protesting phone calls, posing a threat to the exhibition venue, which by all rights should be an open space. While it is anticipated that friction with the external public realm of SNS will bring about a significant change to art spaces in the coming future, an unknown virus has easily succeeded in dividing us, and has transformed all means of expression and lifestyle including exhibitions, into something completely different. We ourselves have become a threat to others, and the shared platform on which our community has been based is now lost. Amidst the sensation that events of the past could potentially be rewritten as signs of change, what we are currently faced with, as symbolized by the newly coined word "social distancing," is the need to re-question the relationship between self and others, individual and communities, as well as the very concept of public.

U.K Prime Minister Boris Johnson who was infected with Covid-19, in a video released during his self-isolation, stressed that, "There really is such a thing as society." This statement, which contradicted Margaret Thatcher's neoliberal endorsement of pure individualism, became a subject of much attention.[1] The Covid-19 pandemic enabled people to reaffirm the importance of the things that are included in the public sphere, such as public health and medical infrastructure. Meanwhile, back in March when the epidemic had started to spread, French philosopher Jean-Luc Nancy had published a newspaper article stating that the coronavirus, which affects those of all races and genders, is a virus that "communizes" people.[2] This statement, which attracted a great deal of attention, will no doubt go down in history as an idyllic proposition of sorts due to being addressed in the wake of the global declaration of the "Black Lives Matter" slogan. We are all aware that as the situation worsened, inequality became apparent in the social risks of being exposed to the virus, as observed in the case of essential workers for example. The virus highlighted the existing conditions of each individual, such as ethnicity, gender, age, occupation, economic situation, state of health, and in doing so, served to amplify various underlying issues.

In retrospect, *Plans for TOKYO 2019* in essence was the reaction and resistance of artists against this social critical state. In each of their exhibitions, the artists focused on reassessing and re-questioning the connection between individual and community, thereby increasing the resolution of the public sphere that exists between them. Through this they sought to explore the rights of the individual against groups such as nations, communities, ethnic groups, and cities, as well as how they connect to reversible power relationships.

Born in the Fukushima Prefecture, Bontaro Dokuyama began his practice in the field of contemporary art in the wake of the contamination of his hometown due to the accident at the Fukushima Daiichi Nuclear Power Plant. However, he had not particularly been concerned with recovering the places that had been deprived. It is important to keep in mind that what lies at the core of his practice is considering the means by which to create a third realm that goes beyond a single identity that is at once perpetrator and victim, as well as that of ownership and hostility. For this exhibition, Dokuyama created a new piece titled *Innocent Tale of the Sky* (2019), which formed a pair with one of his representative and previously produced work, *Even After 1,000 Years* (2015). The video work *Even After 1,000 Years* derives its motif from "Innocent Tale of the Sky," which is featured in the collection of poems *Chiekosho (Chieko's Sky)*. In it, Dokuyama reverses the negative

れてしまった負のイメージを、「ほんとの空」という弱者による表象によって反転させる。一方、《あどけない空の話》では、「高村光太郎が憑依した人物」が、東京の建設現場で、オリンピックや都市開発ではなく、「偽物の空」を埋めるという「芸術上の目的」のために変わっていく風景を肯定する。[註3] 価値を反転させるのではなく、表象を異なる位相へと転用させること。芸術は、物質としては誰かの所有物であっても、意味のレベルでは常に公共的な存在である。芸術の名の下に再定義されたその空間は、従って、「私」と他者とが出会う場でもある。《経済産業省第四分館》(2016) で、彼は、脱原発運動のテント村の中に、「美術展」という公共空間を出現させ、対立するイデオロギーを持つ者同士が対話する可能性を生み出した。その後、出品作家として参加した「あいちトリエンナーレ2019」において、美術展の公共性が脅かされる事態が起きた際に、彼が「サナトリウム」や「多賀宮 TAGA-GU」というアーティスト・ラン・スペースを、驚くべき速さで対話の空間として設置したのは、これまでの活動が助走となっていたからだろう。付け加えれば、レイシズムの言葉とも「対話」を試みる毒山の態度について、本展の最中にも、「あいちトリエンナーレ2019」においても、批判的な意見がSNSで散見された。しかし、戸籍や名前を軽々と変えたように、毒山凡太朗にとって、アイデンティティとは常に複合的であり、対話とはその揺らぎを自ら発見するための最初の一歩である。そこで公共の領域は、一元的なアイデンティティを脱ぎ捨てた、何者でもない者同士の出会いの空間として現れる。その可能性に対する信念は、作家にとって現代美術の最も重要な動機に繋がっている。

「公共」という日本語に、「Official（公的な）」と「Common（万人に共通の）」という二つの言葉が含まれ、混同されていることは、この国の社会のあり方に大きな影を落としている。[註4] 公共の語と公儀権力（＝御上）とがしばしば同義で使用され、社会の強い拘束力を作り出しているのはそのせいである。「あいちトリエンナーレ2019」の「表現の不自由展・その後」について、SNSやコールセンターに、一般市民の声として、「日本人の大多数にとって違和感の大きい内容の作品を、『公金』を使って見せる必要があるのか」という批判が多数寄せられていたことを思い出したい。初期より「公共事業」に高い関心を持ち、これをモチーフとしてきた風間サチコの作品は、この二つの混合に言及するものである。本展示のタイトルに彼女が旧約聖書の「バベルの塔」の神話を引用したのは示唆的である。単一の言語を話す人々が、神を超えるべく力を合わせた「公共事業」と、異なる言葉を話す他者からなる「公共の空間」の対比の物語。風間は全体に対する個の単位を、例えば架空のオリンピックに参加させられる選手たち、あるいは都市のホームレスの眼差しを伴って表象する。私たちはそこから、公共の領域とは、多数派の声ではなく、むしろ少数の弱者による声なき声によってその複数性が担保される空間であることを直観的に受け取ることになる。「公共」の訳語が「Official（公的な）」と「Common（万人に共通の）」の間で揺れ動く様を、コロナ禍を過ごした今、私たちは政治の問題としてより強く経験しているはずである。

　一方で、この展示において丹下健三という存在が召喚されたように、常に歴史に取材する風間の作品は、「創造主」の神話、共同体を動かす単一の主体の出現が、人間社会において宿命的に繰り返されてきたものであることを暗示する。オリンピックを背景とする「選ばれた個」の物語

image that has been imposed upon Fukushima through an image of the "real sky" that is advocated by the weak. Meanwhile, in *Innocent Tale of the Sky*, "a person who appears possessed by the spirit of Kotaro Takamura (poet and author of *Chiekosho*)" stands on a construction site in Tokyo, expressing his affirmation for the city's changing landscape not for the Olympics or for urban development, but for the "artistic purpose" of filling up the "imposturous sky." *3 Rather than attempting a reversing of value, what the artist does is divert representation to a different phase. Although art is the subject of physical ownership, by definition it is always a public entity. The space, redefined in the name of art, is therefore also a place in which "I" encounter others. In *The 4th Branch, Ministry of Economy, Trade and Industry* (2016) he created a public space in the form of an "art exhibition" inside a camp of anti-nuclear protest tents, thereby creating the possibility for people with opposing ideologies to engage in a dialogue with one another. I believe that it is his activities up to this point that had served as the foreflow for the surprising swiftness at which he subsequently established artist-run spaces such as "Sanatorium" and "TAGA-GU" as places for dialogue, when the publicness of the art exhibition was threatened on the occasion of *Aichi Triennale 2019* in which he had taken part. If I might add, critical opinions were seen on SNS both during this exhibition and *Aichi Triennale 2019* regarding Dokuyama's attitude of attempting to engage in a "dialogue" with words of racism. Nevertheless, just like the way in which he effortlessly changed his name and family register, for Bontaro Dokuyama, identity is always integral, and dialogue is indeed the first step in discovering its fluctuations. The public realm in this context emerges as a space for encounters between nobody in particular, who have abandoned their monistic identities. For the artist, the belief in this possibility none other than connects with the most important motive for contemporary art.

The Japanese word for "public" (公共) is composed of characters that respectively mean "official" (公) and "common" (共), and in no doubt it is the mixing of the two which casts a shadow upon the state of society in this country.*4 It is for this reason that public language and public authority (=the government) are often used synonymously to create a strong binding force in society. I recall many critical opinions being raised by the public via SNS and call centers in response to the *After 'Freedom of Expression?'* exhibition at *Aichi Triennale 2019*, questioning the need to use "public money" to exhibit works of art that "create a large sense of discomfort for the majority of the Japanese people." Sachiko Kazama has expressed a high interest in "public projects" since the early days of her career and has employed them as motifs in her work, thereby touching upon the mixing of the two aforementioned concepts. It is suggestive that she references the myth of the "Tower of Babel" from the Bible's Old Testament in the title of this exhibition. It reflects a contrasting narrative between "public projects" where people who speak a single language work together to surpass God, and "public space" which consist of others who speak different languages. Kazama depicts the nature and position of the individual against the whole, for example, through the eyes of athletes who are made to compete in a fictitious Olympic games, or through the eyes of the homeless living in the city. Through such endeavors we intuitively perceive that the public sphere is a space where its plurality is secured not through the voices of the majority, but rather, through the voiceless opinions of a small number of those who are weak and vulnerable. In the midst of the coronavirus pandemic, there is no doubt that we have experienced more strongly as a political issue, the manner by which the translation of the word "public" appears to fluctuate between definitions of "Official" and "Common."

On the other hand, in the way that the exhibition had summoned the presence of architect Kenzo Tange, Kazama's works, which constantly study and reference history, imply that the myth of the "Creator," or the emergence of a single subject that drives the community, is something that has been repeatedly destined for human society. The narrative of "selected individuals" against the backdrop of the Olympics is that which follows suit. As an observer who sharply exposes the essence of human beings, Kazama continues to warn us of the fragility of the public sphere that is constantly under the threat of various forces.

もそれに連なるだろう。人間の本質を鋭くえぐる観察者として、風間は私たちに警告を続ける。公共的領域は、種々の力で常に脅かされていること、その脆さについて。

さて、風間の新作《バベル》(2019) は、1990年代半ばのマンション広告を下敷きにしている。トークでも言及されているように、大都市周辺にニュータウンが拡張され、「郊外」というキーワードが文化や事件の解析のために盛んに喧伝されるようになった時期の空気がここに反映されている。[註5] Urban Research Group のメンバーたちは、まさにその時期の郊外に生まれた世代である。ニュータウンに自生するハイブリッドな文化を分析した、彼らの出発点となった仕事である「変容する周辺　近郊、団地」展 (2018) は、戦後日本のフラットな文化の象徴として語られてきた画一的な「郊外論」に対して、当事者の視点から反論するものと言えるだろう。その彼らが、今回の展示で「引っ越し」というテーマに行き着いたのは、唐突に見えて妥当な流れであった。というのも「引っ越し」とはまさに、旧来の社会的結合——イエやムラ——の解体を前提とした、ニュータウンの成立にも関わる近代の問題を孕んでいるからである。彼らがリサーチした「引っ越すならどこの街に？」という軽いノリの問いかけは、現代社会の移動の自由が、消費行動とほとんど変わらない複合的な欲望に支えられていることを露わにする。

では、個は社会と切り離されたまま、自由に都市を浮遊するのだろうか？　そうではなく、個は常に、社会と自らを繋ぐ公共の領域を必要とし、そこに干渉される。このことは、リサーチのビデオと対比的に中央に配された、メンバーの家族の物語に示されている。子供を連れてパートナーから逃げた母親が頼ったシェルターや、祖母が将来の引っ越し先に希望するケア・マンション。福島第一原発の事故を受けて姉が逃げ込んだ先も、社会と個の中間領域である。ニュータウンから始まった彼らの探求は、個と社会の切断と再接続、形を変えつつ出現する公共の領域の、定まらない境界線を辿る。当事者の視点から語られるそれは、本人たちの言葉を引用すれば、「薄い話」の集合である。[註6] しかし、今私たちに必要なのは、自分たちの属する共同体の形を、決して客体化することなしに語ることができる、新たな言葉なのではないだろうか。安易なナショナリズムが興隆する、あるいはポスト・コロナの、境界が強化された世界に対して。

世界中が「Stay Home」を経験した今、改めてミルク倉庫＋ココナッツの展示を振り返ると、その主題が一層鮮明に浮かび上がるのに驚かされる。空間に水道管を通して作られた宙吊りのキッチン、そこで調理される、クレオール的な多国籍料理。観客はレシピを持ち帰って、自分の家で再現することもできる。コロナ禍は私たちに、外の世界で経験していた秩序や社会的機能を、内の世界に圧縮してもたらすことになった。都市にキッチンを、「国政」に「家政」という領域を、対置しつつ等価に扱おうとする彼らの構想が、この二つの領域の干渉が問われる状況下で、新たな意味を持つことになった。

当初、この展示では、メンバーが常駐し、展示室の中で観客に実際に料理を出す可能性が探られた。その実現が叶わなかったのは食品衛生法の規制が主な原因であるが、こうした食品の扱いと、都市の環境整備、そして疫学とが、全て公衆衛生の領域で一貫して取り扱われてきたことは興味深い。都市化の初期段階より、伝染病と下水等のインフラの不備との関連、さらにそれらを

Kazama's new work *BABEL* (2019) is based on an apartment ad from the mid-1990s. As mentioned in her artist talk, it reflects the atmosphere of the times in which "NEW TOWN" (new housing developments and communities) were expanded across the surroundings of large cities, and the term "suburb" had become a keyword that was widely used in analyzing various culture and events."[5] The members of Urban Research Group are precisely of the generation who were born in the suburbs at that time. Their exhibition *Transforming Surroundings: Suburbs, Apartment Complex* (2018), was a starting point for their practice that serves to analyze the hybrid culture generated within new housing developments and communities. Indeed, it could be regarded as a counter argument against uniform "suburban theories" that have been advocated as a symbol of postwar Japan's flat culture, as presented from the perspective of those actually concerned. Although seemingly abrupt, it was indeed reasonable that they had arrived at the theme of "moving homes" on the occasion of this exhibition. This is because "moving homes" undoubtedly harbors contemporary issues premised on the deconstructing of conventional social unions such as houses and settlements, which are also related to the establishment of new housing communities. The light-hearted question, "Which town would you like to move to?" that they had asked as part of their research, reveals that the freedom of movement within contemporary society is supported by complex desires that is almost comparable to consumer behavior.

If such is the case, does the individual freely wander the city while being detached from society? Rather, the individual always requires and is interfered by the public sphere that connects them to society. This is indicated through narratives regarding one of the group members' families that are installed in the center of the exhibition space in juxtaposition to the research videos. The shelter that his mother had relied on when escaping from her partner with her children, the assisted care apartment that his grandmother wishes to move into in the future, and the place where his sister had sought refuge after the accident at the Fukushima Daiichi Nuclear Power Plant, can all be considered as an intermediate realm between society and individuals. Their quest, which began from the study of new housing communities, trace the uncertain boundaries of the public realm that emerge while changing its form through the disconnecting and reconnecting of individuals and society. If one were to cite their words, such that is articulated through the perspective of those concerned, is but a collection of "tenuous and superficial narratives."[6] Perhaps what we now require is a new language that allows us to speak of the nature and conditions of the communities to which we belong, without any means of objectification. That is, in response to a world in which facile notions of nationalism flourish, or where borders between countries are strengthened in the context of the post corona era.

Looking back on the exhibition by mirukusoko (Milk Warehouse) + The Coconuts, I am surprised to find its theme come to surface more vividly that ever, now that the entire world has been subjected to the "Stay Home" experience. A kitchen that is raised up in the air is built through installing a water pipe in the space. Here, creole-esque dishes inspired by multiple cultures are made, and visitors are also invited to take these recipes home in attempt to recreate them in their own kitchens. The coronavirus pandemic had condensed the systems and social functions experienced in the outside world, and had brought them to the context of our inner world. Their concept of presenting a kitchen within the city, that is, the realm of "domestic affairs" in contraposition to "governmental affairs" while attempting to treat them with equal value, had indeed come to gain a new meaning under circumstances in which the interference between these two realms is questioned.

Initially, this exhibition had considered the possibility of having the members continuously present in the exhibition space, and actually serve the dishes they made to visitors. The main reason why this was not achieved was because of regulations under the Food Sanitation Act, yet it is interesting that the handling of these foods, urban development, and epidemiology have all been dealt with consistently in the area of public health. Since the early stages of urbanization, the

管理するという問題は社会の重大な関心事だった。公衆衛生とは科学であると同時に技術の体系である。「生命を延長し、身体的、精神的機能の増進をはかる」[註7] という基本的人権に則った公衆衛生の目的において、料理と都市整備とは自然を加工、制御するための連携した技術として見えてくる。

　そうしてみると、レシピの語源が、医者による薬の指示書であることも納得される。私たちの身体が、ウイルスを運ぶメディアであることに焦点が当てられている今、サバイバルのメディアであるレシピは、時間と空間に規定された存在としての個を超えて、技術が再び現れる可能性を示す。「Stay Home」のまま、私たちは料理を通して異なる都市と繋がる。同時に、料理を通して、人間の生を超えた時間と繋がることもできるのだ。

　中島晴矢は、東京という彼のホームタウンに、自らの身体を介入させることで、個と公共の領域についての思考を作品化してきた。オリンピックに向けて着々と建設作業が進んでいく国立競技場の建物の前を、ひたすらシャトルランする。整備されていく東京の街を清掃し踊る。東京都庁舎を粉々に砕いて、イリーガルな作法通りに鼻から吸う。興味深いのが、これらの行為のどれもが、都市の建設という「創造的労働」に対置される、非合理的で無為で、だからこそ自律した「活動」であることだ。スケートボーディングによる都市への介入を分析したイアン・ボーデンは、それを、モノの生産と流通に携わる生産的活動＝建築の領域に対する批評的営為として論じた。スケーターたちは建築を消費する。しかしそれは、建築／都市空間を、交換価値ではなく行為の土台としての使用価値において再定義することなのだと言う。[註8] 中島も同じく、エネルギーの生産と消費を繰り返す都市を舞台に、時間と空間の生きられた経験化を試み、目的に囚われない行為そのものを取り出そうとする。中島が作品についてのコメントの中で、本展に通底する隠されたテクストとして、太宰治の「トカトントン」を引用していることに注目したい。戦後復興の「普請中」の風景を招き寄せるこの音は、玉音放送を聞く時、スポーツに熱中した時、労働に没頭した時、何かの警鐘のように主人公の脳裏に響く。それは、スケボーと同じく、人間が、建設的で合理的な物質世界としての都市、その空間の外に出る可能性を示すものと言えるのではないだろうか。

　さて、これまで繰り返してきたように、個と社会、公共の領域の関係が問い直されることになったコロナ禍を越えて、私たちの目に、中島作品はどのように映るだろうか。彼の作品に現れていた、都市に介入する身体の危険性は、潜在的なものから顕在的なものへと変化した。「オリンピックに向けて街を清掃する」行為は、公共の領域が保持されるために必要な、サバイバルを賭けた切実さを帯びるものとなった。行為は目的に回収されてしまうのだろうか？　しかし、中島がここで行っているのが、それでもなお「清掃」ではなく、先達のパフォーマンスのパロディでありダンスなのだと確認する時、危機に瀕した公共の領域を、行為によって確保し描きなおそうとする芸術上の切実さが、不要不急という語がはびこる社会への批判として迫ってくる。

　本展覧会のステイトメントに、私は、都市がまだ人々の幸福を保証するシステムとして有効なのかを問いつつ、展覧会をプラットフォームとして、「（オリンピックという）祭りのあと」をサ

relationship between infectious diseases and inadequate infrastructure such as sewage, as well as the issue of managing them have been of great concern to society. Public health is at once a science and a system of technology. When considering the purpose of public health in accordance with the basic human right of "increasing life expectancy, and improving physical and psychological functions,"[7] cooking and urban development can be seen as technologies that are linked to one another, both used as a means of processing and controlling nature.

In this respect, it is understandable that the term recipe is originally derived from the instructions for medicine prescribed by doctors. Now that emphasis is placed on our bodies being a medium for carrying viruses, recipes, which are essentially a medium for survival, indicates the potential for technology to reappear beyond its individual existence as defined by time and space. Despite being in this "Stay Home" condition, we are able to connect with different cities through cooking. At the same time, cooking allows us to connect with time that goes beyond the life of a human being.

Haruya Nakajima has produced works that reflect his thoughts on the individual and public realm through enabling his own body to intervene with his hometown of Tokyo. He intently engages in a shuttle run, going back and forth in front of the National Stadium building where construction work is steadily progressing toward the Olympic games. In other instances he is seen cleaning and dancing on the streets of Tokyo as it continues its development, and on another occasion he breaks a sculptural reminiscent of the Tokyo Metropolitan Government Building, sniffing its powdered fragments through his nose in following with illegal practices. What is interesting is that each of these acts is an irrational, ineffective, and therefore self-sustaining "activity" that is an antithesis to the "creative labor" of city construction. Architectural historian Iain Borden, who analyzed the way in which the practice of skateboarding can intervene with the city, had described it as being a critical act against the productive activity involved in the production and distribution of goods, that is, against the realm of architecture. Skateboarders consume architecture, yet Borden states that it redefines architectural/urban space in terms of its value of use as the basis of action as opposed to exchange value.[8] Likewise, Nakajima tries to bring out the acts themselves that are not bound by purpose, attempting to convey the real-life experience of the time and space of the city that is subjected to a repetitive cycle that involves the production and consumption of energy. It is worth noting that in his comment regarding his work, Nakajima cites Osamu Dazai's short story "Tokatonton" as a hidden text underlying this exhibition. This onomatopoeia used to suggest the sound of hammering, which also brings to mind scenes depicted in Ogai Mori's novella "Fushinchu" (Under Reconstruction) that is set in Japan's period of postwar reconstruction, had sounded in the protagonist's mind as a warning of sorts when he listened to the Jewel Voice Broadcast, was absorbed in sports, as well as when he was engrossed in labor. In this respect, it could be said that human beings, like skateboarding, present the possibility of venturing out of the city and its space, which exists in the form of a constructive and rational material world.

As I have repeated thus far, the relationship between the individual and society/the public sphere has come to be re-questioned as a result of the coronavirus pandemic. How will Nakajima's work appear in our eyes in the wake of, and beyond this context? The physical dangers of intervening in the city, as depicted in his work, have changed from the latent to the more explicit. The act of "cleaning the city in preparation for the Olympics" had come to take on a sense of urgency in a bet for survival, as is required for the preservation of the public sphere. Will the acts be salvaged by their purpose? Nevertheless, when we confirm that what Nakajima is doing here is still not in fact "cleaning," but a dance or a parody of the performances of predecessors, the artistic imperative to secure and re-depict the public sphere on the verge of crisis through means of action, comes across as a criticism against a society in which the phrase "nonessential and nonurgent" is widely advocated.

バイブするための指針を問いたいと述べた。ここには、展覧会は、現代美術という領域は、社会に対して何を残しうるのかという、私なりの問いが含まれていた。これまで見てきたように、「東京計画2019」の各展覧会において作家たちは、オリンピック前夜であった2019年の東京の諸相をギャラリーに転送しつつ、個と社会の間にある公共の領域とは何かを、複数の角度から問いかけ、その解像度を上げる試みを行ってきた。追考するならば、それらは、バラバラになってしまった私たちの社会の共有のプラットフォームを繋ぎ、再構築するための、いわば記憶装置のようなものとなっていくのかもしれない。スマートフォンが管理する、人類最初のパンデミックと言われるこのコロナ禍の影響から、今後も私たちは、個とは、公共の領域とは何かを、政治や倫理を含む複数の論点から繰り返し問い続けることになるはずだ。あらゆる「計画」が遅延され、不確かな未来だけがある今、これらの展覧会もまた、終わらぬ何かとして、その意味を更新し続けるだろう。ここでのサバイブの方法とは、ただひたすら思考を止めないことだ。そのプラットフォームを残すことができたなら幸いである。

[註1] "There is such a thing as society, says Boris Johnson from bunker," *The Guardian*, Mar. 29, 2020. https://www.theguardian.com/politics/2020/mar/29/20000-nhs-staff-return-to-service-johnson-says-from-coronavirus-isolation(2020年7月25日閲覧)

[註2] Jean-Luc Nancy, "Communovirus," *Libération*, Mar. 24, 2020. https://www.liberation.fr/debats/2020/03/24/communovirus_1782922（2020年7月25日閲覧）

[註3] アーティスト・トークより。本書 p.41。

[註4] 政治学者の齋藤純一は「公共性」の意味として「official」「common」に加え「open」を挙げ、この3つが拮抗関係にあることを指摘する。齋藤純一『公共性』岩波書店、2000年、pp.viii-x。

[註5] アーティスト・トークより。本書 p.72。

[註6] アーティスト・トークより。本書 p.102。

[註7] WHOが認定したウィンスロウ（C.E.A. Winslow）の定義（1949年）。

[註8] イアン・ボーデン「都市のパフォーマンス」斎藤雅子・中川美穂・矢部恒彦訳、『現代思想』第30巻第6号（2002年5月号）、p.82。

藪前知子
1974年東京都生まれ。東京都現代美術館学芸員。これまでの主な担当企画に「大竹伸朗　全景　1955-2006」（2006）、MOTコレクション「特集展示岡﨑乾二郎」（2009）、「山口小夜子　未来を着る人」（2015）、「おとなもこどもも考える　ここはだれの場所？」（2015）、「MOTサテライト2017 往来往来」（2017）、「MOTアニュアル2019 Echo after Echo：仮の声、新しい影」（2019）など。「札幌国際芸術祭2017」（2017）では企画メンバーとして参加。日本の近現代美術についての寄稿多数。

In the statement for this exhibition I had mentioned my hopes that this series of exhibitions could serve as a platform in providing clues and guidelines for surviving the days that follow the storm of festivities of the Olympics, while at the same time questioning whether the city still functions as an effective system in guaranteeing happiness for the people who live within it. This included my own questions as to what the exhibition, or the realm of contemporary art, could leave for society. As we have seen, in each of the exhibitions of *Plans for TOKYO 2019*, the artists transferred various aspects of Tokyo in 2019, which at the time was the very eve of the Olympic games, to the space of the gallery. While doing so, they have attempted to highlight and clarify the nature of the public sphere that exists between individuals and society by questioning it from multiple angles. Upon reconsideration, they may become something of a memory device for connecting and rebuilding the shared platforms of our society that have become disjointed. Due to the influence of Covid-19, which is said to be mankind's first ever pandemic to be monitored by smartphone, we will no doubt continue to repeatedly question the very nature and definition of the individual and the public sphere through multiple issues that include politics and ethics. Now that every "plan" has been delayed and all that remains is an uncertain future, these exhibitions will continue to update their meaning as something never ending. The only way to survive under these circumstances is to never cease thinking. Nothing would bring me more pleasure than knowing that I have been able to facilitate such a platform.

[1] "There is such a thing as society, says Boris Johnson from bunker," *The Guardian*, March 29, 2020, web, date accessed: July 25, 2020 (https://www.theguardian.com/politics/2020/mar/29/20000-nhs-staff-return-to-service-johnson-says-from-coronavirus-isolation).

[2] Jean-Luc Nancy, "Communovirus," *Libération*, March 24, 2020, web, date accessed: July 25, 2020 (https://www.liberation.fr/debats/2020/03/24/communovirus_1782922).

[3] In reference to the Artist Talk featured on p.41 of this publication.

[4] Political scientist Junichi Saito raises "openness" in addition to "official" and "common" as definitions of "publicness" in Japanese, and points out that these three are in an antagonistic relationship with one another. Junichi Saito, *Publicness*, Iwanami Shoten, 2000, pp.viii-x.

[5] In reference to the Artist Talk featured on p.72 of this publication.

[6] In reference to the Artist Talk featured on p.102 of this publication.

[7] Definition by American bacteriologist and public health expert Charles-Edward Winslow who was a certified consultant to the World Health Organization (1949).

[8] Iain Borden / Japanese translation by Miho Nakagawa, Masako Saito and Tsunehiko Yabe, "Performing the City," *Gendai Shiso*, May 2002, vol. 30-6, p.82.

Tomoko Yabumae
Born in 1974 in Tokyo, Japan. Curator of The Museum of Contemporary Art Tokyo (MOT). She has curated exhibitions in MOT including *Shinro Ohtake; Zen-Kei Retrospective 1955-2006* (2006), *MOT Collection; special feature Kenjiro Okazaki* (2009-10), *Sayoko Yamaguchi: The Wearist, Clothed in the Future* (2015), *An Art Exhibition for Children: Whose place is this?* (2015), *MOT Satellite 2017; by the deep rivers*(2017), *MOT Annual 2019 Echo after Echo; Summoned Voices, New Shadows* (2019). She participated in the project team of *Sapporo International Art Festival 2017*. Her writings on modern and contemporary Japanese art have been published in a number of journals in Japan.

執筆
藪前知子

毒山凡太朗
風間サチコ
Urban Reseach Group
ミルク倉庫＋ココナッツ
中島晴矢

翻訳
ベンジャー桂

会場撮影
森田兼次

デザイン
松本弦人

編集
藪前知子
神祥子（gallery αM）

企画監修
gallery αM
（武蔵野美術大学
大学企画グループ
社会連携チーム）

〒101-0031
東京都千代田区東神田 1-2-11
アガタ竹澤ビル B1F
03-5829-9109

Texts:
Tomoko Yabumae

Bontaro Dokuyama
Sachiko Kazama
Urban Research Group
mirukusouko + The Coconuts
Haruya Nakajima

English Translation:
Kei Benger

Photos:
Kenji Morita

Design:
Gento Matsumoto

Edited by:
Tomoko Yabumae
Sachiko Jin, gallery αM

Planning Supervision:
gallery αM,
Musashino Art University
Academic Planning
and External Affairs Division,
External Collaboration Section

B1F, Agata-Takezawa bldg.
1-2-11, Higashi-Kanda, Chiyoda-ku,
Tokyo 101-0031 Japan
+81-3-5829-9109

謝辞
本展覧会の開催にあたり、
ご協力賜りましたゲスト
キュレーター及び出品作家
各氏、並びに、関係諸機関
及び関係者各位に、深く感
謝の意を表し、心より御礼
申し上げます。（敬称略）

藪前知子 毒山凡太朗 風間
サチコ 石毛健太 垂水五滴
黒坂祐 宮崎直孝 坂川弘太
篠崎英介 田中丸善一 西浜
琢磨 松本直樹 中島晴矢

アグネス吉井（KEKE・白
井愛咲）綾野文麿 井口美
尚 池田昌平 印牧雅子 栄前
田愛香 小川萌永 荻原楽太
郎 加藤律 喫茶野ざらし 木
村奈緒 CAVE MORAY 小
泉宗仁 後藤かおり 酒井風
佐久間洸 篠田麻衣 杉原環
樹 スナックその優 space
dike 関貴尚 高橋臨太郎 長
谷川大 美学校 間庭裕基 無
人島プロダクション 森田
兼次 山本英 吉田尚弘（FL
田SH）渡邊慎二郎

石崎朝子 岡田萌 上久保徳
子 清原啓 黒瀧舞衣 近藤太
郎 手塚美楽 橋本陽 廣岡友
弥 村松珠季 森野大地 八木
温生 矢萩理久 吉川卓

αM プロジェクト 2019
東京計画 2019

2020 年 10 月 1 日 初版第 1 刷発行

編　者　藪前知子
　　　　gallery αM

発行者　白賀洋平
発行所　株式会社武蔵野美術大学出版局
　　　　〒 180-8566
　　　　東京都武蔵野市吉祥寺東町 3-3-7
　　　　電話　0422-23-0810（営業）

印刷・製本　株式会社八紘美術

定価は表紙に表記してあります
乱丁・落丁本はお取り替えいたします
無断で本書の一部または全部を複写複製することは
著作権法上の例外を除き禁じられています

©Musashino Art University, 2020
ISBN978-4-86463-113-6　C0070　Printed in Japan

αM Project 2019
Plans for TOKYO 2019

First edition issued in, October 2020

Editors:
Tomoko Yabumae
gallery αM

Publisher:
Musashino Art University Press Co., Ltd.
3-3-7 Kichijoji Higashi-cho Musashinoshi Tokyo, JAPAN
Tel. +81-422-23-0810

Printed by:
Hakko Art Co., Ltd.

The retail price is indicated on the cover
We will replace the book should there be any manufacturing defects.
No part of this book may be reproduced without prior permission
from the publisher.

Copyright: Musashino Art University, 2020
ISBN978-4-86463-113-6 C0070 Printed in Japan